PRONTI ... VIA!

CORSO INTENSIVO DI ITALIANO

LEONARDO ORIOLO

A catalogue record of this book is available from the British Library

ISBN 0 85048 301 8

Cover by **Giovanni Stefanini**
Illustrations by **Leonardo Guasco**

Printed in Great Britain by Watkiss Studios Limited

Published by
European Schoolbooks Publishing Ltd
The Runnings
Cheltenham
GL51 9PQ
England

INDICE

Pag.

◆ INTRODUZIONE ◆

Il presente libro, diviso in 14 unità, integra i primi due volumi della collana "Pronti...Via!" (*Pronti...Via! The Italian Handbook* e *A New Style Italian Grammar - Guida alle strutture della lingua italiana).*

L'obiettivo principale del *Pronti...Via! Corso intensivo di italiano* è quello di permettere al discente di conseguire nel minor tempo possibile un **"livello soglia"** (vedi J.A. van Ek, *The Threshold Level,* 1975 e Nora Galli de' Paratesi, *Livello Soglia per l'insegnamento dell'italiano come lingua straniera*, Consiglio d'Europa, 1981).

Poiché l'esposizione alla lingua e la pratica costante sono elementi indispensabili, oltre alla motivazione e al fattore divertimento, per sviluppare e potenziare le capacità comunicative dei discenti, questo libro ripropone ciclicamente, in forme diverse, funzioni e nozioni già introdotte; il tutto nell'ottica di un **sistema a spirale**, che costituisce la peculiarità di questo libro, strutturato in modo da rafforzare le abilità che si ritengono già acquisite, mentre si presentano nuovi contenuti. Altre caratteristiche innovative del libro sono: la vasta gamma di attività comunicative; la varietà di giochi didattici e un sistema di rinvii tra argomenti, funzioni e strutture grammaticali.

Ogni unità si compone di dialoghi introduttivi che forniscono modelli di lingua autentica, atti a soddisfare precisi bisogni comunicativi nell'ambito di un argomento determinato e di una specifica situazione. I dialoghi sono seguiti da attività ed esercizi di vario genere che agevolano l'acquisizione di un lessico e di una fraseologia essenziali, relativamente all'argomento dell'unità, consentono l'apprendimento di fondamentali strutture morfologiche e sintattiche della lingua italiana e facilitano il passaggio dall'orale allo scritto.

Le forme linguistiche impiegate negli esercizi scaturiscono direttamente dai dialoghi introduttivi e non viceversa. È quindi possibile stimolare un'acquisizione più efficiente ed un apprendimento più motivato, in quanto le strutture grammaticali e le nozioni sono contestualizzate ed immediatamente riutilizzabili per il "**transfer**" (vedi J.A. van Ek, op. cit.). Il "transfer" è la fase più importante e proficua della lezione, perciò i discenti dovrebbero essere incoraggiati fin dall'inizio a parlare di se stessi e del mondo che li circonda.

Di conseguenza, ad un livello iniziale, è consigliabile tralasciare gli esercizi scritti (che possono essere introdotti in un secondo tempo, se e quando lo si riterrà opportuno) e concentrarsi sulle attività orali qui presentate e quelle facilmente desumibili dal *Pronti...Via! The Italian Handbook* (information gap, role-play, open dialogue, drammatizzazione, interviste, sondaggi, ...).

In ogni caso, è importante sottolineare che non tutti gli esercizi di un'unità devono essere eseguiti prima di passare ad un'altra, in quanto il libro è strutturato in modo tale che l'ordine degli argomenti e delle attività può e dovrebbe essere scelto in base ai più immediati bisogni comunicativi del discente.

Gli esercizi sulle strutture grammaticali dovrebbero essere preceduti da un lavoro di ricerca e riflessione, da parte dei discenti, basato il più possibile sulle tabelle sostitutive del *Pronti...Via! The Italian Handbook*; esse sono state studiate appositamente per facilitare una metodologia induttiva nell'insegnamento della grammatica.

La maggior parte degli esercizi ha comunque una serie di pratici rinvii al *New Style Italian Grammar- Guida alle strutture della lingua italiana*, che permettono la massima flessibilità per quanto riguarda il lavoro di recupero e l'approfondimento. Inoltre, le chiavi degli esercizi e le audiocassette rendono il presente volume adatto allo studio autonomo.

L'utilizzazione, in via sperimentale, del presente materiale ha confermato che, superate le iniziali difficoltà, l'uso prevalente della lingua italiana permette di raggiungere in un minor tempo e con maggior profitto la soglia comunicativa. Per questo motivo, le istruzioni nel libro vengono date tutte in italiano e il mezzo di comunicazione in classe, fatte poche eccezioni (vedi "Indicazioni per l'insegnante", note I e II), dovrebbe essere il più possibile l'italiano.

◆ INTRODUCTION ◆

This book, divided into 14 units, completes the trio of volumes in the "Pronti...Via!" series. The three books are: *Pronti...Via! Corso intensivo di italiano; Pronti...Via! The Italian Handbook* and *A New Style Italian Grammar - Guida alle strutture della lingua italiana.*

The prime objective of the *Pronti...Via! Corso intensivo di italiano* is to help the learner reach a "threshold level" in as short a time as possible (see J.A. van Ek, *The Threshold Level*, 1975 and Nora Galli de' Paratesi, *Livello Soglia per l'insegnamento dell'italiano come lingua straniera*, Consiglio d'Europa, 1981).

Constant practice and exposure are indispensable factors in learning a language, as are motivation and enjoyment. In order to develop and strengthen the communication resources of the learner, this book presents, and repeats cyclically, the most relevant language functions and notions. This "**spiral system**" of presenting materials is the distinguishing feature of this book. The intensive course reinforces abilities already acquired, while at the same time introducing new content. Other innovative characteristics of the course include: a vast range of communicative activities; a variety of didactic games and systems of cross-referencing between topics, functions and grammatical structures.

Each unit comprises introductory dialogues which provide models of authentic language, ideal for satisfying precise communicative needs in terms of a specific topic and situation. The dialogues are followed by various activities and exercises which facilitate building up a vocabulary and set of essential phrases, related to the topic of the unit. These activities and exercises aid the learning of fundamental structures in the Italian language and ease the transition from oral to written communication.

The linguistic forms used in the exercises derive directly from the introductory dialogues and not vice versa. It is therefore possible to stimulate greater efficiency in acquisition and improved motivation in learning since the structures and the notions are contextualized and are immediately re-usable in what J.A. van Ek has referred to as "**transfer**". "Transfer" is the most important and profitable part of the lesson, whereby the learners are encouraged from the start to personalise and internalise the language by talking about themselves and the world around them.

For this reason, at an initial level, it is advisable to ignore the written exercises (which can be introduced at a later stage, if and when it is thought suitable) and concentrate on oral activities, both those presented here and others easily derived from *Pronti...Via! The Italian Handbook* (information gap, role-play, open dialogue, interviews, surveys, and so on).

In any case it is important to emphasize that not all of the exercises of one unit must be completed before passing to another unit, since the book is structured in such a way as to allow the order of the topics and activities to be chosen according to the learner's immediate communicative needs.

The exercises on grammatical structures should be preceded by research and reflection on the part of the learner, based as much as possible on the substitution tables of *Pronti...Via! The Italian Handbook*; these have been specially compiled to facilitate an inductive method in the teaching of grammar.

Most of the exercises have practical cross-references to *A New Style Italian Grammar* which allows flexibility for implementing strategies of correction and extension. Also, the keys to the exercises and the audio cassettes enhance the usefulness of the course for the independent learner.

Experimental use of this material (in selected organizations and schools in Great Britain) has confirmed that once initial hesitancy is overcome, deliberate concentration on using Italian as much as possible allows a communication threshold to be reached in the minimum time. For this reason, the instructions in the book are all given in Italian and, with a few exceptions (see "Indicazioni per l'insegnante", notes I and II), Italian should be the main means of communication in the classroom.

◆ INDICAZIONI PER L'INSEGNANTE ◆

Nell'ambito di ogni unità si può seguire, in modo flessibile, il seguente schema di lavoro.

Legenda
[C] *Pronti...Via! Corso intensivo di italiano*
[H] *Pronti...Via! The Italian Handbook*
[G] *A New Style Italian Grammar-Guida alle strutture della lingua italiana*

1 L'insegnante presenta gli obiettivi della lezione, utilizzando le liste dei "language tasks" [H].

2 Gli studenti osservano le illustrazioni relative all'argomento trattato [C] e rispondono a semplici domande del tipo: chi?, che cosa?, dove?...

3 Gli studenti ascoltano i dialoghi [C] con il libro chiuso (l'insegnante può servirsi della audiocassetta o può leggere brevi dialoghi tratti dalle tabelle sostitutive [H]).

4 L'insegnante spiega i contenuti dei dialoghi, ricorrendo alle illustrazioni e alla mimica.

5 Gli studenti riascoltano i dialoghi e rispondono a domande di comprensione.

6 Gli studenti eseguono in coro esercizi di pronuncia e intonazione.

7 Gli studenti riascoltano i dialoghi, questa volta con il testo davanti.

8 Gli studenti lavorano in coppia o in gruppi e svolgono le attività proposte dal libro [C] e quelle facilmente desumibili dalle tabelle [H].

9 Gli studenti riutilizzano il materiale appreso per parlare di se stessi, della loro famiglia, ecc. ("Transfer").

10 Gli studenti svolgono attività di ricerca e riflessione grammaticale [H][G].

11 Gli studenti eseguono esercizi scritti incentrati su: funzioni e strutture [C]; moduli, questionari, messaggi, descrizioni, corrispondenza, ecc. [H][C].

Tra i punti 7 e 8 si può inserire la seguente serie di attività basate sulle tabelle sostitutive [H]:

- l'insegnante formula le domande, utilizzando la colonna A;
- gli studenti rispondono in coro (libro chiuso);
- l'insegnante ripete le risposte corrette;

- l'insegnante fornisce le risposte, utilizzando la colonna B;
- gli studenti formulano le domande adeguate (libro chiuso);
- l'insegnante ripete le domande;

- gli studenti lavorano in coppia, ripetendo i momenti principali delle prime due fasi (libro aperto, coprendo a turno le colonne A e B);

- gli studenti lavorano in coppia e, con l'ausilio delle tabelle sostitutive e del vocabolario [G], inventano un dialogo;

- gli studenti e l'insegnante discutono i dialoghi e correggono, in un primo momento, solo gli errori che impediscono la comunicazione;

- gli studenti lavorano in coppia e, dopo alcune prove, drammatizzano i loro dialoghi di fronte alla classe (è utile registrare e riascoltare questi dialoghi).

◆ NOTE ◆

I *Per presentare gli obiettivi e le attività più complesse, in determinate situazioni (classi numerose, scarsa motivazione, ecc.), può essere utile usare la lingua madre degli studenti.*

II *Per quanto riguarda la verifica della comprensione dei dialoghi introduttivi, più che le tecniche di vero/falso e di scelta multipla in italiano, non sempre attendibili ad un livello iniziale, in determinate situazioni può essere necessario formulare una serie di domande nella lingua madre degli studenti.*

III *Spesso ad una preposizione italiana ne corrisponde più di una in un'altra lingua; per questa ragione, le frasi impiegate negli esercizi, tutte ad alta frequenza d'uso, dovranno essere acquisite attraverso la pratica.*

IV *I numeri tra le parentesi quadre rinviano alle diverse sezioni di A New Style Italian Grammar.*

V *La maggior parte di esercizi sulle strutture è presentata in modo tale da poter essere eseguita anche oralmente e in coppia.*

ACKNOWLEDGEMENTS

La Stampa, p. 42 (top and bottom) and p.130 (top); Corriere della Sera, p. 42 (centre left); La Repubblica, p. 42 (centre right); Ente F.S., p. 52 and 54 (centre); Alitalia, p. 53.

The publisher apologises if any acknowledgements have been omitted and will be pleased to include them in subsequent editions.

I should particularly like to thank Maria Galasso who read the manuscript and made many helpful suggestions.

Thanks are also due to my colleagues who were kind enough to work with the pilot edition of the course and provided invaluable feedback. In addition I should like to thank John Broadbent, Giovanna Melisi and Anthony John Oliver, for their time and assistance. A debt of gratitude is due to the students of the European School in Culham, the Salvatorian College, and the courses organised by the Italian Consulate in London. All have been enthusiastic participants in "piloting" material.

Once again I should like to acknowledge the support I continue to have from Links Publications. Our collaboration is always pleasurable as well as most productive. Emanuela Agni spent many hours preparing design and layout. The editor, Clive Mira-Smith, remains committed to the Pronti...Via! series.

Finally, I should like to join the editor in expressing our full acknowledgement of the considerable support offered by the Italian Embassy in Great Britain.

IDENTIFICAZIONE PERSONALE

1

Carlo	Come ti chiami?
Maria	Mi chiamo Maria. E tu?
Carlo	Io mi chiamo Carlo.

2

Carlo	Dove abiti?
Maria	Abito in via Marconi, 35.
Carlo	Qual è il tuo numero di telefono?
Maria	È 340 12 56.

3

Carlo	Quanti anni hai?
Maria	Ho quattordici anni.
Carlo	Quando è il tuo compleanno?
Maria	Il 3 febbraio.

4

Valerio	Di dove sei?
Silvia	Sono di Roma. E tu?
Valerio	Io sono di Siena.

5

Silvia	Quanti anni hai?
Valerio	Ho ventisette anni.
Silvia	Quando è il tuo compleanno?
Valerio	Il 9 aprile.

6

Roberto	Sei americana?
Kathy	No, sono inglese.
Roberto	Dove sei nata?
Kathy	Sono nata a Bedford.
ooo	
Roberto	Ti piace l'italiano?
Kathy	Sì, mi piace molto.

NOTA *Vedi anche "Rapporti con gli altri" p.132, dialoghi 3, 4, 5, 6.*

Rispondi alle seguenti domande.

1
- **a** Come si chiama il ragazzo? Si chiama Carlo
- **b** Come si chiama la ragazza? Si chiama Maria

2
- **a** Dove abita la ragazza? Maria abita in via Marconi
- **b** Qual è il suo numero di telefono? E

3
- **a** Quanti anni ha? Ho quarantacinque anni
- **b** Quando è il suo compleanno? il venticinque gennaio

4
- **a** Di dov'è Silvia? È di Roma
- **b** Di dov'è Valerio? E di Siena

5
- **a** Quanti anni ha Valerio?
- **b** Quando è il suo compleanno?

6
- **a** Di che nazionalità è Kathy?
- **b** Dov'è nata?

GIOCO "I numeri"

Due numeri non sono nello schema. Quali? DIECI SEDICI

1, 2, 3, 4, 5, 6, 7, 8, 9

```
S I E S E U Q N I C
E D E R T I C I D O
T I I D N I U Q O R
T C C T T E S I D T
E I I E     S C I T
O Q D I C I A I C A
T U A T T O R D I U
T O N O V E U N D Q
  U N O D U E T R E
```

10, 11, 12, 13, 14, 15, 16, 17

Esercizio 1

Collega le domande con le risposte.

1 [C]	Come ti chiami?	**a** Sì, sono di Salerno.
2 [F]	Qual è il tuo indirizzo?	**b** Sì, mi piace molto.
3 [E]	Quando sei nata?	**c** Maria.
4 [A]	Sei italiana?	**d** Ho 15 anni.
5 [B]	Ti piace l'inglese?	**e** Il 15 febbraio.
6 [D]	Quanti anni hai?	**f** Via Marconi, n. 35.

Esercizio 2

A) Intervista 5 compagni e completa la tabella.

Domande:

1 Come ti chiami?
2 Quanti anni hai?
3 Quando sei nato/nata?
4 Dove sei nato/nata?
5 Qual è il tuo indirizzo?
6 Qual è il tuo numero di telefono?

Nome	*Età*	*Data di nascita*	*Luogo di nascita*	*Indirizzo*	*Numero di telefono*
Carlo	*15*	*2 gennaio 1974*	*Cervo (Italia)*	*Via Marina, 8/Cervo*	*0183 46260*
Silvia	*30*	*5 maggio 1959*	*Roma*	*Via Cassia, 20/ Roma*	*06 789775*
Kathy	*15*	*20 febbraio 1974*	*Bedford (G.B.)*	*73, Roderick Rd/Londra*	*071 467859*
1 Mary	23	MARZO 18 March 1976	Kings Lynn Norfolk.	Torwood House Old Torwood Road Apartment 8	01803 380711
2 JENNY	31	MARZO 31 March 1968	Torquay	46 Seymour Via Newton Abbot	367365 (01626)
3					
4					
5					

B) Presenta i 5 compagni alla classe.

Esempi:

✱ Carlo ha 15 anni. È nato il 2 gennaio 1974 a Cervo, in Italia.
Abita a Cervo, in via Marina, 8. Il suo numero di telefono è 0183 46260.

✱ Kathy ha 15 anni. È nata il 20 febbraio 1974, a Bedford, in Gran Bretagna.
Abita a Londra, in Roderick Road, al numero 73. Il suo numero di telefono è 071 467859.

Esercizio (in coppia) 

Lo studente A intervista lo studente B e compila la tabella con una X.

Esempi:

A Ti piace lo sport? → **B** Sì, mi piace.
A Ti piace il cinema? → **B** No, non mi piace.
A Ti piace il jazz? → **B** Abbastanza.
A Ti piacciono i ragazzi timidi? → **B** Sì, mi piacciono.
A Preferisci i capelli lunghi o corti? → **B** Preferisco i capelli corti.

TABELLA

			Sì	No	Abbastanza	Preferisco
Ti piace	lo sport?					
	il cinema?					
	il teatro?					
	la musica classica?					
	la musica pop?					
	il jazz?					
	...........?					
Ti piacciono	i ragazzi/le ragazze	ambiziosi/ambiziose?				
		chiacchieroni/chiacchierone?				
		timidi/timide?				
		romantici/romantiche?				
		sportivi/sportive?				
		vivaci?				
		..................?				
Preferisci	gli occhi	castani o azzurri o verdi	?			
	i capelli	castani o biondi o neri o rossi				
	i capelli	lunghi o corti				
	i capelli	lisci o ricci o ondulati				

Esercizio  [2.1]

Completa con gli articoli.

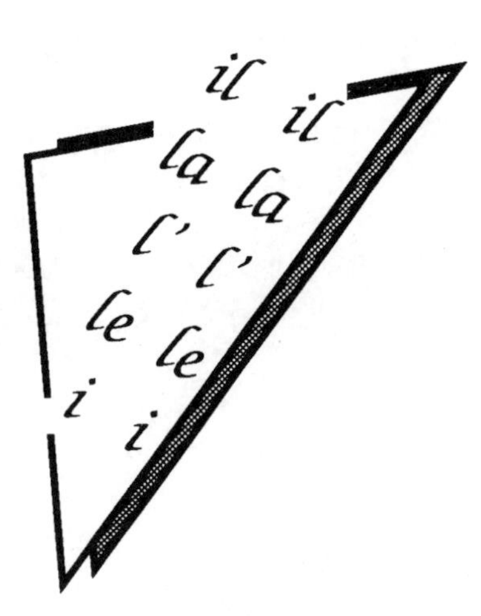

1 Questo è ....il.... passaporto di Carlo.
2 Questi sono ....i.... passaporti di Carlo e Silvia.
3 Questa è ....la.... sorella di Maria.
4 Queste sono ....le.... sorelle di Roberto.
5 Mi piace ....la.... musica.
6 Mi piace ....il.... teatro.
7 Mi piacciono ....i.... ragazzi sportivi.
8 Mi piacciono ....le.... ragazze sportive.
9 Questo è ....l'.... indirizzo di Kathy.
10 Ti piace ....l'.... Italia?

Esercizio  [2.1]

Completa con gli articoli.

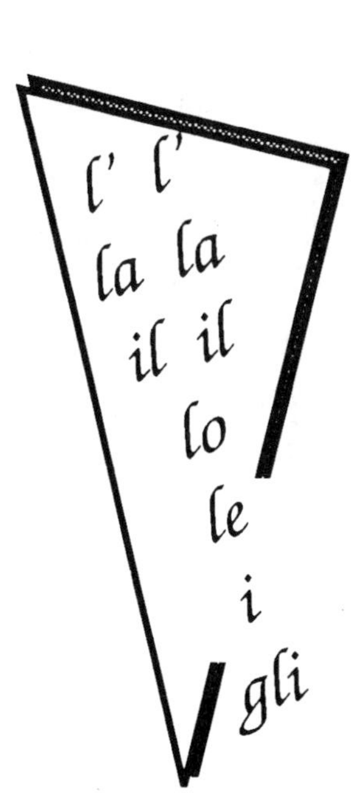

1 Questo è ....l'.... alfabeto italiano.
2 Questa è ....la.... signora Martini.
3 Questo è ....il.... mio numero di telefono.
4 Ti piace ....lo.... sport?
5 Questa è ....la.... studentessa italiana.
6 Queste sono ....le.... ragazze italiane.
7 Ti piace ....l'.... italiano?
8 Roberto ha ....i.... capelli neri.
9 Carlo ha ....gli.... occhi castani.
10 Quando è ....il.... compleanno di Valerio?

Esercizio  [1.1]

Volgi al plurale.

1 La casa ....le case....
2 L'indirizzo ....gli indirizzi....
3 Il mese ....i mesi....
4 Il numero ....i numeri....
5 Il ragazzo ....i ragazzi....
6 La ragazza ....le ragazze....
7 Il bambino ....i bambini....
8 La bambina ....le bambine....
9 Lo studente ....gli studenti....
10 La studentessa ....le studentesse....

Esercizio  [3.1]

A) Leggi i seguenti dialoghi e completa lo schema.

A Carlo è un ragazz**o** sportiv**o**.
B Mi piacciono i ragazz**i** sportiv**i**.

A Silvia è una ragazz**a** sportiv**a**.
B Mi piacciono le ragazz**e** sportiv**e**.

A Marco è un ragazz**o** nervos**o**.
B Non mi piacciono i ragazz**i** nervos**i**.

A Paola è una ragazz**a** nervos**a**.
B Non mi piacciono le ragazz**e** nervos**e**.

A Giorgio è un ragazz**o** intelligent**e**.
B Mi piacciono i ragazz**i** intelligent**i**.

A Lucia è una ragazz**a** intelligent**e**.
B Mi piacciono le ragazz**e** intelligent**i**.

Singolare	Plurale
sportiv**o**	sportiv**i**
sportiv**a**	sportive
intelligent**e**	intelligenti

B) Inventa altri dialoghi simili ai precedenti.

Esercizio  [3.1]

Completa la tabella.

È UN RAGAZZO	È UNA RAGAZZA	SONO DUE RAGAZZI	SONO DUE RAGAZZE
Allegro HAPPY	Allegra	Allegri	Allegre
Divertente Amusing	Divertente	Divertenti	Divertenti
Gentile Kind	gentile	gentili	gentili
Pigro lazy	Pigra	Pigri	Pigre
Nervoso Nervous	Nervosa	Nervosi	Nervose
Intelligente	Intelligente	Intelligenti	Intelligenti
Felice Happy	Felice	Felici	Felici
Timido Shy	Timida	Timidi	Timide
Noioso Boring	Noiosa	Noiosi	Noiose
Ambizioso [illegible] bored	Ambiziosa	Ambiziosi	Ambiziose

FELICE CONTENTO

Boring

Esercizio  [7.1]

Completa come negli esempi.

Esempi: Carlo è italiano. Massimo è italiano. — Carlo e Massimo ....*sono*.... italiani.
Io sono inglese. Kathy è inglese. — Noi ....*siamo*.. inglesi.

1 Maria è italiana. Silvia è italiana. — Maria e Silvia .... italiane.
2 Paola è italiana. Roberto è italiano. — Paola e Roberto .... italiani.
3 Ann è irlandese. Joseph è irlandese. — Ann e Joseph .... irlandesi.
4 Io sono australiano. Paul è australiano. — Noi .... australiani.
5 Io sono americana. Susan è americana. — Noi .... americane.
6 Io sono scozzese. Lee è scozzese. — Noi .... scozzesi.
7 Io sono gallese. Tom è gallese. — Noi .... gallesi.

Esercizio  [7.1]

Completa con il verbo "essere".

1 Lei .... una ragazza italiana.
2 Lui .... un ragazzo italiano.
3 Professore, ... italiano?
4 Loro .... due ragazzi americani.
5 Noi .... spagnoli.
6 Tu .... italiano?
7 Voi .... australiani?
8 Io .... inglese.
9 Professoressa, ... italiana?
10 Loro .... due ragazze americane.

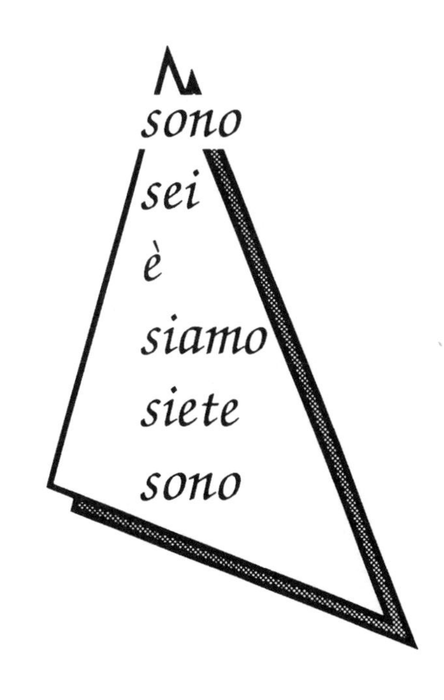

Esercizio  [3.2]

Completa.

1 Pietro e Paolo sono italian_.
2 Lina è italian_
3 Silvana e Angela sono italian_
4 Pino e Claudia sono italian_.
5 Riccardo è italian_.
6 Francesca e Vittorio sono italian_.
7 David è ingles_.
8 Mary è ingles_.
9 Corinne e Valery sono ingles_
10 Paul e John sono ingles_

Esercizio 12 [7.1]

Volgi al plurale.

1	Io sono inglese.	Noi	Siamo inglesi
2	Lui è americano.	Loro	Sono americani
3	Lei è italiana.	Loro	Sono americane
4	Tu sei australiano?	Voi	Siete australiani?
5	Lei è italiano?	Voi	Siete austr ?

Esercizio 13 [11] [12]

Metti l'accento dove occorre.

1 Qual e il tuo numero di telefono?
2 Quando e il tuo compleanno?
3 Ann e inglese e Silvio e italiano.
4 Mi piacciono l'italiano e il francese.
5 Ha i capelli lunghi e castani.
6 E molto allegra e vivace.
7 Nina e molto alta.
8 No, non e americana, e inglese.
9 Lui e intelligente e simpatico.
10 E divertente, allegro e vivace.

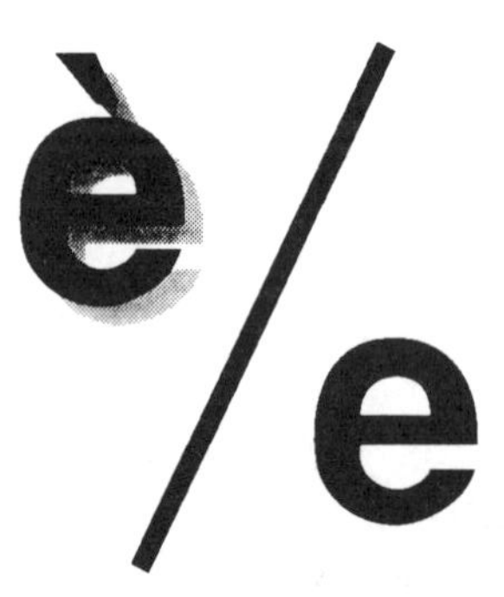

Esercizio  14

Leggi le seguenti frasi.

 I suoni: **chi, che, ca, co, cu, ci, ce** sono simili a quelli sottolineati nelle parole inglesi.

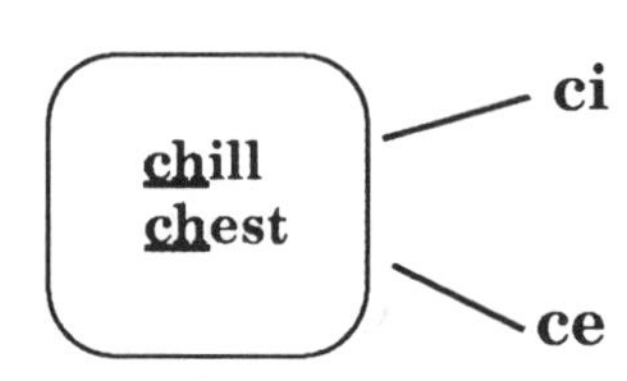

1 Come ti chiami?
2 Mi chiamo Carlo.
3 Di che nazionalità sei?
4 Lei è simpatica, ma loro sono antipatici.
5 Lei è un'amica francese e lui è un amico scozzese.
6 Loro sono due amici italiani.
7 Lui è disoccupato.
8 Ho i capelli castani, corti e ricci.
9 Ti piace questa città?
10 Ti piacciono le lingue?

Esercizio 15

Raggruppa le seguenti parole in base al suono.

Provincia, compleanno, britanni**co**, die**ci**, S**co**zia, viva**ce**, ami**ci**, oc**chi**, **ci**ao, domeni**ca**.

[k]

compleanno

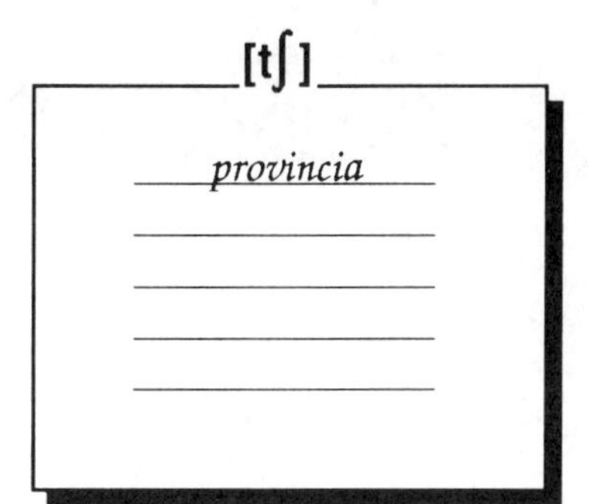

Esercizio 16

Raggruppa le seguenti parole in base al suono.

Galles, geloso, a**go**sto, **ge**neroso, **gi**ovane, intelli**ge**nte, lin**gu**e, **ge**nnaio, lun**ghi**, mag**gi**o, lussembur**ghe**se, Lussembur**go**, re**gi**one, Porto**ga**llo, porto**ghe**se, **gi**ovedì, ra**ga**zza, **ge**ntile.

[g]

Galles

[dʒ]

geloso

Esercizio  [8]

Leggi le seguenti frasi.

1 Maria abita in Via Marconi, 35.
2 Il mio numero di telefono è 24 13 31.
3 Maria ha 14 anni.
4 Carlo ha 15 anni.
5 Alessandro ha 18 anni.
6 Angelo è alto 1 metro e 80.
7 Il mio compleanno è il 7 febbraio.
8 Il professore ha 38 anni.
9 Il suo numero di telefono è 300 28 56.
10 Sono nato il 15.5.1960.

Esercizio (in coppia) 

Fai almeno cinque domande al compagno, usando le seguenti parole.

Qual è?

Dove? **Quando?**

Come? **Quanti?**

Esempio: Qual è il tuo numero di telefono?

 **Quale** non si apostrofa mai.

Esercizio 

Descrizione.

I
1. Descrivi un compagno di classe.
2. Leggi alla classe la descrizione del compagno.
3. Gli altri studenti devono indovinare chi è.

II
1. Tutti gli studenti guardano per cinque secondi la fotografia di un personaggio famoso.
2. Lo descrivono, cercando di ricordare il maggior numero di particolari.

III
1. Ogni studente descrive un personaggio famoso.
2. Gli altri studenti devono indovinare chi è.
3. Gli studenti possono fare domande, ma si deve rispondere solo "sì" o "no".

NOTA Vedi "Pronti...Via! The Italian Handbook", pagina 7.

Esercizio 

Completa i dialoghi.

1
A Come _ _ chiami?
B Mi _ _ _ _ _ _ Maria. E tu?
C Carlo.

2
A Dove abiti?
B _ _ _ _ _ in via Marconi, 35.
A Qual è il tuo _ _ _ _ _ _ di telefono?
B È 340 12 56.

3
A Quanti anni _ _ _ ?
B _ _ trentadue anni.
A Quando _ il tuo compleanno?
B _ _ 3 febbraio.

4
A _ _ _ americana?
B No, sono inglese.
A _ _ _ _ sei nata?
B Sono nata _ Bedford.

Esercizio 21 [5.1]

Volgi dal "tu" al "Lei" i dialoghi dell'esercizio precedente.

Esempio:
A Come si chiama?
B Mi chiamo Maria Bado. E Lei?
A Io mi chiamo Carlo Martini.

NOTA Vedi "Pronti...Via! The Italian Handbook", pagina 9.

VERBI: preferire, piacere.

PRESENTE INDICATIVO

PREFERIRE

A

(tu)	preferisci	parlare o scrivere?
(Lei)	preferisce	
(lei)	preferisce	
(lui)	preferisce	
(voi)	preferite	
(loro)	preferiscono	

B

(io)	preferisco	parlare.
(io)	preferisco	
(lei)	preferisce	
(lui)	preferisce	
(noi)	preferiamo	
(loro)	preferiscono	

PIACERE

A

(A te)	ti	piace l'italiano?
(A Lei)	Le	
(A lei)	le	
(A lui)	gli	
(A voi)	vi	piacciono le lingue?
(A loro)	gli	

B

(A me)	Sì, mi	piace	molto.
(A me)	mi		
(A lei)	le		
(A lui)	gli		
(A noi)	ci	piacciono	
(A loro)	gli		

I numeri

0 zero			
1 uno	11 undici	21 ventuno	31 trentuno
2 due	12 dodici	22 ventidue	32 trentadue
3 tre	13 tredici	23 ventitré	
4 quattro	14 quattordici	24 ventiquattro	40 quaranta
5 cinque	15 quindici	25 venticinque	50 cinquanta
6 sei	16 sedici	26 ventisei	60 sessanta
7 sette	17 diciassette	27 ventisette	70 settanta
8 otto	18 diciotto	28 ventotto	80 ottanta
9 nove	19 diciannove	29 ventinove	90 novanta
10 dieci	20 venti	30 trenta	100 cento
			200 duecento
			1900 millenovecento

I mesi

gennaio, febbraio, marzo, aprile, maggio, giugno, luglio, agosto, settembre, ottobre, novembre, dicembre.

I giorni della settimana

lunedì, martedì, mercoledì, giovedì, venerdì, sabato, domenica.

Per approfondire, vedi i seguenti due volumi della collana "Pronti...Via!":

I) PRONTI...VIA! THE ITALIAN HANDBOOK
II) A NEW STYLE ITALIAN GRAMMAR - Guida alle strutture della lingua italiana

- **PRONTI...VIA! THE ITALIAN HANDBOOK**

Tabelle sostitutive	pp. 2-5
L'alfabeto italiano	p. 3
Come descrivere una persona	p. 6

- **A NEW STYLE ITALIAN GRAMMAR**
Strutture grammaticali

Accenti (è) [12]	Esercizio 13
Aggettivi [3.1]	Esercizi 7, 8
Articolo determinativo [2.1]	Esercizi 4, 5
Concordanza (aggettivi) [3.2]	Esercizio 11
Congiunzioni (e) [11]	Esercizio 13
Essere: presente indicativo [7.1]	Esercizi 9, 10, 12
Mi piace/non mi piace	Esercizio 3
Nomi [1.1]	Esercizio 6
Numeri [8]	Esercizio 17
Pronomi personali (tu/Lei) [5.1]	Esercizio 21
Pronuncia: ci, ce; chi, che, ca, cu, co	Esercizi 14, 15
Pronuncia: gi, ge; ghi, ghe, ga, gu, go	Esercizio 16

Vocabolario - Identificazione personale

Nome	p. 48
Indirizzo/telefono	p. 48
Età e compleanno	p. 48
Nazionalità e paesi	p. 49
Mestieri e professioni	pp. 49-50
Descrizione	pp. 50-51

Verbi

abitare, amare, andare matto per, avere, chiamarsi, compilare, dare, essere, essere nato, firmare, odiare, piacere, preferire, riempire, ripetere, scrivere, volere.

Fraseologia essenziale

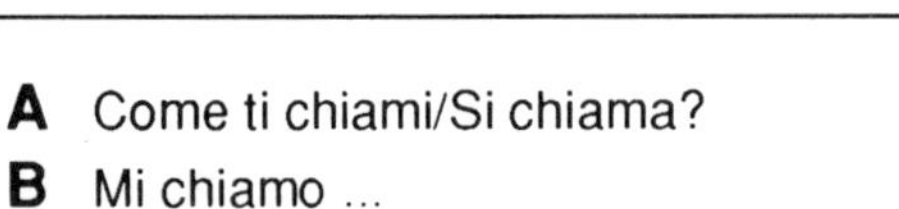

A Come ti chiami/Si chiama?
B Mi chiamo ...

A Di dove sei/dov'è?
B Sono ...

A Quanti anni hai/ha?
B Ho ... anni.

A Dove abiti/abita?
B Abito in ...

A Qual è il tuo/Suo numero di telefono?
B Il mio numero di telefono è ...

FAMIGLIA

1

CARLO Quanti siete in famiglia?
MARIA Siamo in quattro. E voi?
CARLO Noi siamo in cinque.

2

MARIA Come si chiamano i tuoi genitori?
CARLO Mio padre si chiama Gianni e mia madre Angela.
MARIA Che lavoro fanno?
CARLO Mio padre è meccanico e mia madre è impiegata in banca.

3

PAOLA Sei figlio unico?
ROBERTO No, ho due sorelle.
PAOLA Come si chiamano?
ROBERTO La più grande si chiama Monica e la più piccola Patrizia.

4

PAOLA Passi molto tempo con i tuoi genitori?
ROBERTO Beh, durante la settimana ci vediamo solo all'ora dei pasti.
PAOLA Come mai?
ROBERTO Perché lavorano tutti e due.

5

ENRICA Siete tanti in famiglia?
MASSIMO Siamo in cinque: mio padre, mia madre, due fratelli ed io.
ENRICA Vai d'accordo con i tuoi fratelli?
MASSIMO Solo con Paolo.
ENRICA Perché solo con Paolo?
MASSIMO Forse perché siamo gemelli.

6

ENRICA Vedi spesso i tuoi parenti?
MASSIMO Non molto.
ENRICA Perché?
MASSIMO Abitano tutti in un'altra città.

7

ENRICA Ti piacciono gli animali?
MASSIMO Sì, moltissimo.
ENRICA Hai qualche animale in casa?
MASSIMO Sì, ho un cane e un gatto.

Rispondi alle seguenti domande.

1. a Quanti sono nella famiglia di Maria?
   b Quanti sono nella famiglia di Carlo?

2. a Come si chiama il padre di Carlo?
   b Come si chiama sua madre?
   c Che lavoro fanno i genitori di Carlo?

3. a Quante sorelle ha Roberto?
   b Come si chiama la più grande?
   c Come si chiama la più piccola?

4. a Roberto vede spesso i suoi genitori?
   b Perché?

5. a Quanti fratelli ha Massimo?
   b Va d'accordo con i suoi fratelli?
   c È più grande Massimo o Paolo?

6. a Massimo vede spesso i suoi parenti?
   b Perché?

7. a Massimo ama gli animali?
   b Quali animali ha in casa?

Esercizio 

Disegna il tuo albero genealogico, indicando anche la professione e l'età dei componenti della tua famiglia.

Esempio: (Padre) *Gianni* / *meccanico* / *46*

La mia famiglia

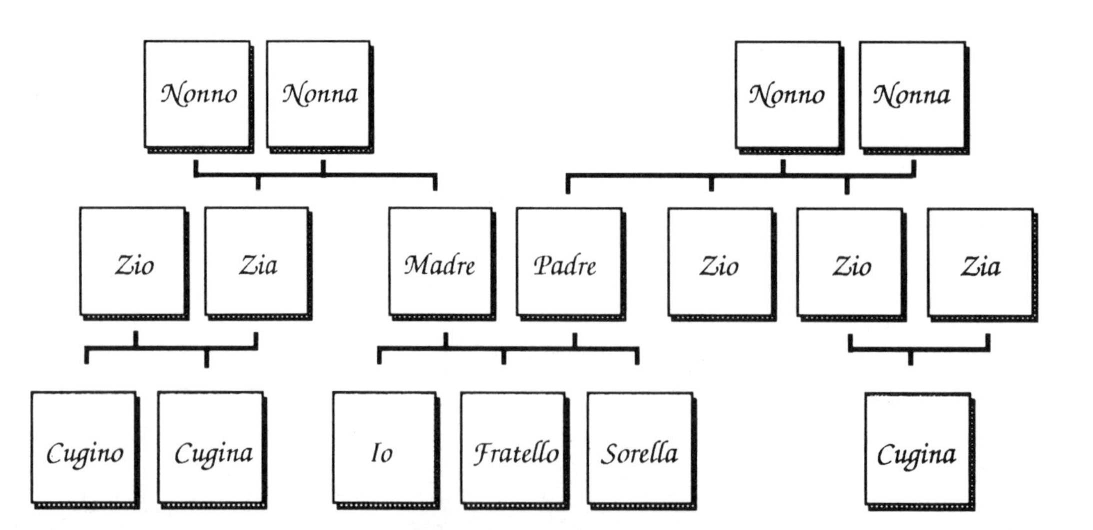

Esercizio (in coppia) 

Lo studente A fa le domande e lo studente B risponde.

STUDENTE A

Fai le domande al compagno e completa l'albero genealogico della famiglia di Carlo Martini.

Domande - tipo:

1. Come si chiama il marito di Francesca?
2. Qual è il cognome di Carmine?
3. Quanti anni ha Carmine?
4. Che lavoro fa Rosella?

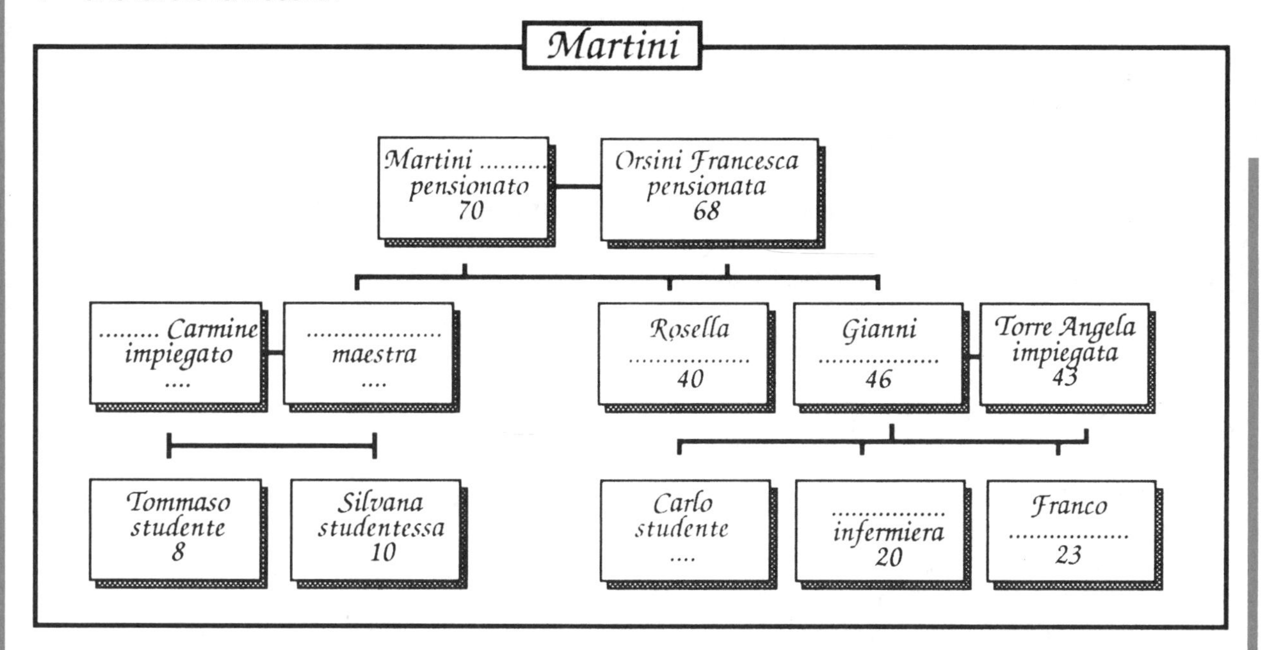

STUDENTE B

Leggi l'albero genealogico della famiglia di Carlo Martini e rispondi alle domande del compagno.

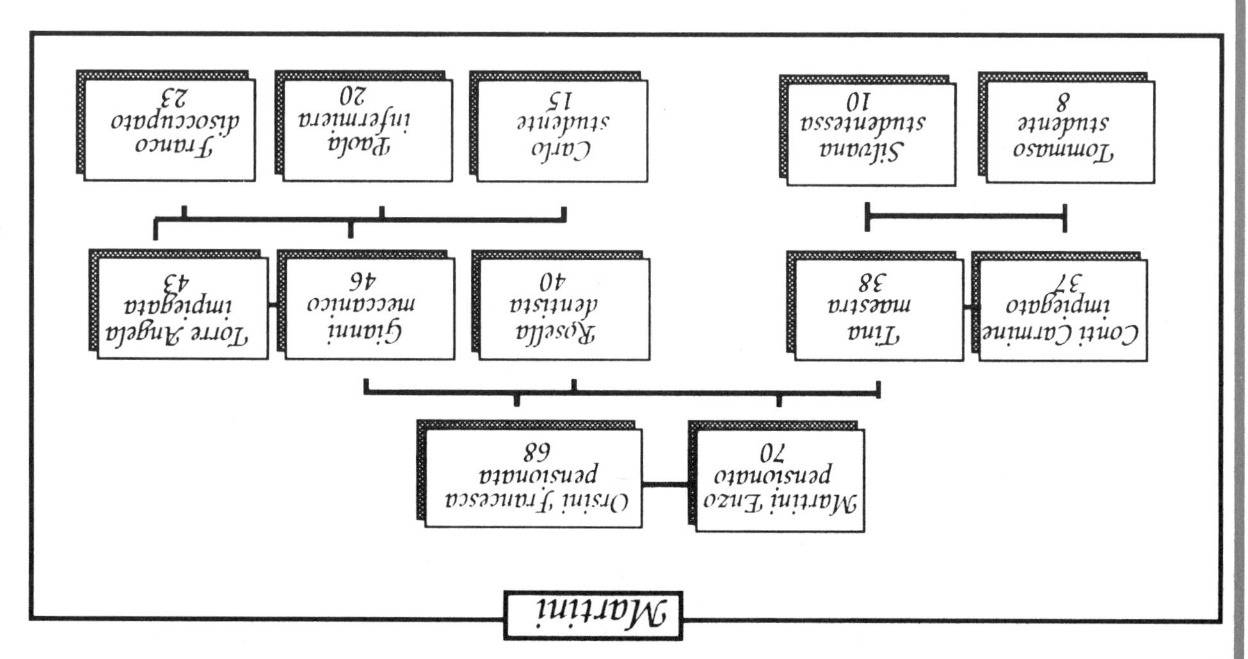

Esercizio 

Leggi l'albero genealogico della famiglia di Carlo e indica se le seguenti affermazioni sono vere [V] o false [F].

1 Franco è il figlio di Carmine. ❒
2 Carmine è lo zio di Carlo. ❒
3 Rosella è la sorella di Angela. ❒
4 Silvana è la sorella di Tommaso. ❒
5 Paola è la cugina di Tommaso. ❒
6 Gianni è il marito di Angela. ❒
7 Rosella è la cognata di Tina. ❒
8 Enzo è il nonno di Silvana. ❒
9 Franco e Carlo sono i fratelli di Paola. ❒
10 Enzo e Francesca sono i suoceri di Carmine. ❒

Esercizio (in coppia) 

Lo studente A intervista lo studente B e disegna il suo albero genealogico.

Domande - tipo: Come si chiama tuo padre?
Che lavoro fa?
Quanti fratelli ha tua madre?...

Esercizio (in coppia) 

Lo studente A illustra l'albero genealogico dello studente B ad un altro studente (o alla classe).

Esempio: La famiglia di Carlo Martini.
Sono in cinque in famiglia: il padre, la madre, sua sorella, suo fratello e Carlo.
Suo padre si chiama Gianni, è meccanico e ha 46 anni.
Sua madre si chiama Angela, ...

Esercizio 

Scrivi una lettera ad un amico o ad un'amica e descrivi la tua famiglia.

Esempio:

Lucca, 25 novembre 1991

Cara Paola,

come va? Tutto bene? ...
Ti mando una fotografia della mia casa e della mia famiglia.
Come vedi, siamo in cinque: mio padre, mia madre, le mie due sorelle ed io.
Mio padre si chiama Lucio e lavora in banca. Mia madre si chiama Daniela e lavora in un'agenzia di viaggi. La mia sorella più piccola si chiama Patrizia, è molto simpatica, vivace e chiacchierona; ha 14 anni e frequenta un istituto d'arte. L'altra sorella si chiama Monica, è molto intelligente, ma un po' timida; ha 16 anni e frequenta il liceo classico...

Ciao, a presto.

Roberto

Esercizio  [2.1]

Completa con gli articoli.

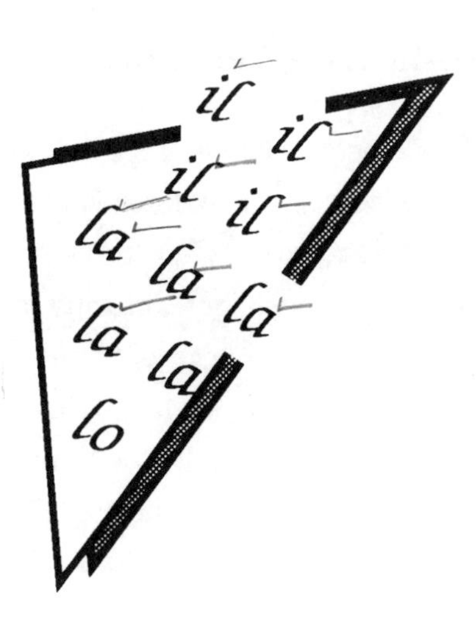

1 Enzo è .... nonno di Paola.
2 Francesca è .... nonna di Carlo.
3 Carmine è .... marito di Tina.
4 Tina è .... moglie di Carmine.
5 Gianni è .... padre di Carlo.
6 Angela è .... madre di Carlo.
7 Tina è .... sorella di Rosella.
8 Tommaso è .... fratello di Silvana.
9 Carmine è .... zio di Franco.
10 Tina è .... zia di Carlo.

Esercizio  [2.1]

Esercizio come il precedente.

1 Gianni e Rosella sono .... zii di Tommaso.
2 Angela e Rosella sono .... zie di Tommaso.
3 Tommaso è ....nipote di Angela.
4 Silvana è .... nipote di Angela.
5 Tommaso è .... cugino di Franco.
6 Silvana è .... cugina di Franco.
7 Carmine è .... cognato di Rosella.
8 Angela è .... cognata di Tina.
9 Enzo e Francesca sono .... nonni di Franco.
10 Rosella e Tina sono .... sorelle di Gianni.

Esercizio  [3.8] [3.9]

Completa con i possessivi.
(loro, nostre, tue, vostri, loro, mie, sue, tuoi, miei, suoi)

Esempio: Questo è mio fratello. Questi sono i ....*miei*......... fratelli.

1 Questo è mio zio.	Questi sono i .... zii.
2 Questa è mia sorella.	Queste sono le .... sorelle.
3 Questo è tuo fratello?	Questi sono i .... fratelli?
4 Questa è tua figlia?	Queste sono le .... figlie?
5 Questo è suo nipote.	Questi sono i .... nipoti.
6 Questa è sua nipote.	Queste sono le .... nipoti.
7 Questa è nostra cugina.	Queste sono le .... cugine.
8 Questo è vostro cugino?	Questi sono i.............................. cugini?
9 Questo è il loro suocero.	Questi sono i .... suoceri.
10 Questa è la loro zia.	Queste sono le .... zie.

Esercizio 10 [3.8] [3.9]

Completa con gli articoli dove è necessario.

1 Come si chiama .... tuo padre?
2 Qual è .... vostro indirizzo?
3 Che lavoro fa .... sua madre?
4 .... nostri genitori sono molto severi.
5 Dove abita .... tuo fratello?
6 Vai d'accordo con .... tue sorelle?
7 .... mio fratellino è sempre allegro.
8 .... loro figlio è medico.
9 .... loro figlie studiano in America.
10 Quando è .... tuo compleanno?

Esercizio 11 [3.8] [3.9]

Volgi al femminile.

Esempio: Mio nonno è italiano. Mia nonna è italiana.

1 Mio padre lavora in un ufficio. ....
2 Tuo fratello è timido. ....
3 Suo zio abita in Italia. ....
4 Nostro figlio studia italiano. ....
5 Il loro nipote è disoccupato. ....
6 Mio suocero è pensionato. ....
7 Suo marito è maestro. ....
8 I suoi cugini sono noiosi. ....
9 Mio cognato è inglese. ....
10 I tuoi fratelli sono timidi. ....

Esercizio 12

Fai le domande (Quanti...? Quanti...? Dove...? Dove...? Come...?).

1 ....? Mia madre si chiama Angela.
2 ....? Mio fratello ha 20 anni.
3 ....? I loro parenti abitano in Italia.
4 ....? Sua figlia lavora in banca.
5 ....? Siamo in quattro in famiglia.

Esercizio 13 [3.8] [3.9]

Trasforma come nell'esempio.

Esempio: Questo è il padre di Sandro. È **suo** padre.

1 Questo è il padre di Patrizia. ....
2 Questa è la madre di Carlo. ....
3 Questa è la madre di Maria. ....
4 Questi sono i genitori di Clara. ....
5 Questi sono i genitori di Marco. ....
6 Questo è il fratello di Lello. ....
7 Queste sono le cugine di Vito. ....
8 Questi sono i figli di Ubaldo e Anna. ....
9 Questa è la figlia dei signori Bozzi. ....
10 Questa è la sorella maggiore di Leo. ....

Esercizio  [7.1]

Completa le frasi e il cruciverba con il presente indicativo del verbo "lavorare".

Esempio: Dove ....*lavora*........ tuo padre?

ORIZZONTALI

1 Noi .... in una fabbrica.
2 Loro .... a Roma.
3 Voi dove .... ?
4 Mina e Rina .... in Italia.
6 Lui dove ....?
7 Tu dove ....?
8 Lei, signora Martini, dove ....?

VERTICALI

1 Lei, Signor Berio, dove ....?
2 Paola, quante ore ....?
4 Io .... in un ufficio.

Esercizio 15 [7.1]

Completa con il presente indicativo del verbo "avere".

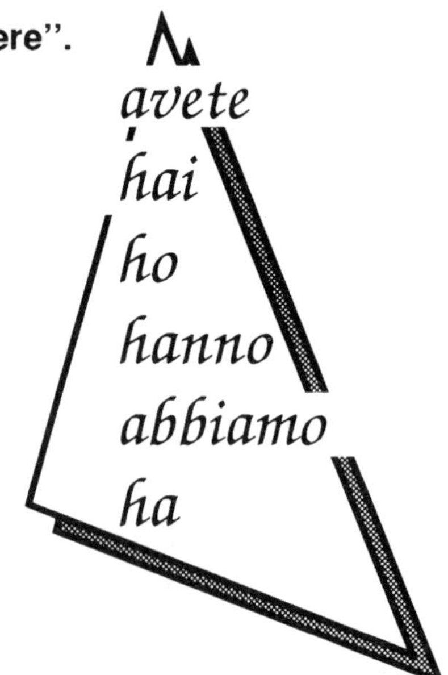

1 Io .... due sorelle.
2 Cinzia e Chiara .... i capelli castani.
3 Voi .... animali in casa?
4 Il mio gatto .... gli occhi verdi.
5 Loro .... due cani.
6 (Tu) quanti anni ....?
7 Aldo .... quattordici anni.
8 Noi .... la stessa età.
9 Marta e Claudio .... due gatti.
10 Lei, professore, ... animali in casa?

Esercizio  [7.1]

Trova i sette errori (ha/ho/hanno, a/o/anno).

1 Il mio fratellino a un anno.
2 Lui è nato a Lucca.
3 Loro anno tre cagnolini.
4 Io o un gatto che, quando è contento, vuole giocare o fa le fusa.
5 Quanti anni a?
6 Preferisci l'italiano o il francese?
7 Andrea a due sorelle.
8 Io non o fratelli.
9 Bruna e Rita anno i capelli castani.
10 Valentina abita a Milano.

 La **h** in italiano non si pronuncia.

Esercizio 

Leggi le seguenti frasi, facendo attenzione ai suoni "gl" e "gn".

1 Suo fi**gl**io si chiama Carlo.
2 Sua mo**gl**ie lavora in banca.
3 È meravi**gl**ioso!
4 Paola è molto orgo**gl**iosa.
5 Somi**gl**ia molto a suo fratello.
6 Carlo è il mio mi**gl**iore amico.
7 Questa è la si**gn**ora Martini.
8 Loro sono spa**gn**oli.
9 Il mio inse**gn**ante è bravo.
10 Qual è il suo co**gn**ome?

Esercizio (in coppia) 

Fai almeno sette domande al compagno, usando le seguenti parole.

Esempio: Perché studi l'italiano?

Esercizio 

Rispondi alle seguenti domande.

1. Come ti chiami?
2. Quanti anni hai?
3. Quando sei nato/a?
4. Dove sei nato/a?
5. Sei inglese?
6. Ti piace l'italiano?
7. Qual è il tuo indirizzo?
8. Qual è il tuo numero di telefono?
9. Quanti siete in famiglia?
10. Come si chiama tuo padre?
11. Come si chiama tua madre?
12. Di che nazionalità è tuo padre?
13. Di che nazionalità è tua madre?
14. Che lavoro fa tuo padre?
15. Che lavoro fa tua madre?
16. Passi molto tempo con i tuoi genitori?
17. Vedi spesso i tuoi parenti?
18. Hai animali in casa?

Nome	Cognome	Età	Residenza	Professione
Carlo	Martini	15	Cervo (IM)	studente
Maria	Bado	14	Salerno	studentessa
Valerio	Ferrari	33	Siena	autista
Silvia	Niella	30	Roma	stilista
Roberto	Berio	22	Lucca	muratore
Kathy	Williams	15	Londra	studentessa
Paola	Martini	20	Cervo (IM)	infermiera
Enrica	Surro	22	Mussomeli (CL)	giornalista
Massimo	Ferri	18	Milano	disoccupato
Janie	Bell	19	Canterbury	studentessa
Gianni	Martini	46	Cervo (IM)	meccanico
David	Curton	15	Abingdon	studente

- **PRONTI...VIA! THE ITALIAN HANDBOOK**

Tabelle sostitutive	pp. 10-16
Come descrivere un animale	p. 15

- **A NEW STYLE ITALIAN GRAMMAR**
  Strutture grammaticali

Aggettivi possessivi [3.8] [3.9]	Esercizi 9, 13
Articoli determinativi [2.1]	Esercizi 7, 8, 10
Avere: presente indicativo [7.1]	Esercizio 15
Nomi [1.1] [1.2] [1.3]	Esercizio 11
Presente indicativo: verbi in -ARE [7.1]	Esercizio 14
Pronuncia: gli e gn	Esercizio 17

Vocabolario - Famiglia

Componenti della famiglia	p. 51
Animali domestici	p. 52

Verbi
andare a trovare, andare d'accordo, avere, baciare, chiamarsi, essere, lamentarsi, lavorare, passare, presentare, rassomigliare, somigliare, vedersi.

Fraseologia essenziale

A Quanti siete in famiglia?
B Siamo in ...

B I miei genitori (mio padre e mia madre), mio fratello, mia sorella, ...

A Come si chiama tuo/tua ...?
B Si chiama ...

A Che lavoro fa tuo/tua ...?
B Lavora in ... (È ...)

3 CASA

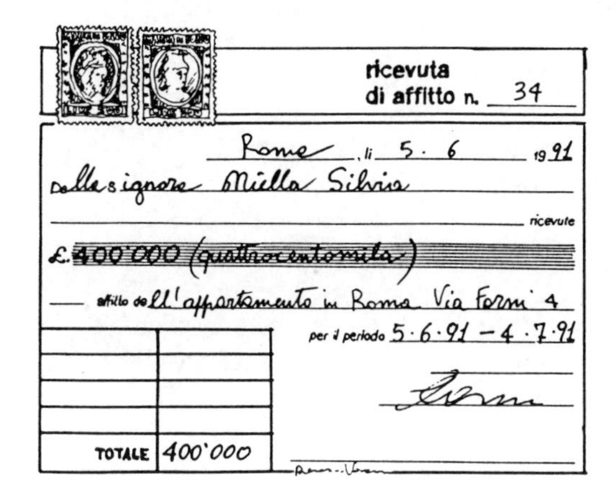

ricevuta di affitto n. 34

Roma, li 5. 6 1991

dalla signora Miella Silvia

ricevute

£. 400'000 (quattrocentomila)

affitto dell'appartamento in Roma Via Forni 4

per il periodo 5·6·91 – 4·7·91

TOTALE	400'000

1

VALERIO	Dove abiti?
SILVIA	Abito in centro.
VALERIO	Paghi molto d'affitto?
SILVIA	Sì, pago quattrocentomila lire.

2

ENRICA	È tua la casa dove vivi o sei in affitto?
MASSIMO	Sono in affitto.
ENRICA	È caro l'affitto?
MASSIMO	Sì, perché la casa è in un quartiere residenziale.

3

ENRICA	È facile trovare un appartamento a Milano?
MASSIMO	No, è molto difficile e i prezzi sono alti.

4

MASSIMO	E tu dove abiti?
ENRICA	Abito in un palazzo in via Cavour.
MASSIMO	A che piano si trova il tuo appartamento?
ENRICA	Al quinto piano.
MASSIMO	È grande?
ENRICA	Sì, ci sono quattro stanze più i servizi e il terrazzo.
MASSIMO	C'è del verde intorno?
ENRICA	Sì, davanti al palazzo c'è un grande giardino.
MASSIMO	Paghi molto d'affitto?
ENRICA	L'appartamento è dei miei genitori.

5

JANIE	Dove abiti?
ROBERTO	Abito in un appartamento al terzo piano.
JANIE	Quanto paghi d'affitto?
ROBERTO	Non ne pago, perché ho comprato l'appartamento l'anno scorso.
JANIE	Quanto si paga di condominio?
ROBERTO	Centomila lire al mese.

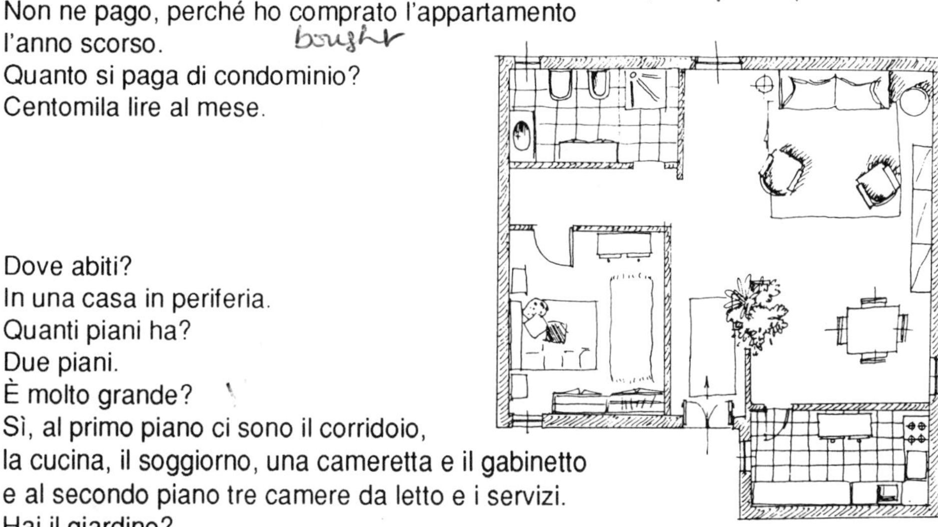

6

CARLO	Dove abiti?
MARIA	In una casa in periferia.
CARLO	Quanti piani ha?
MARIA	Due piani.
CARLO	È molto grande?
MARIA	Sì, al primo piano ci sono il corridoio, la cucina, il soggiorno, una cameretta e il gabinetto e al secondo piano tre camere da letto e i servizi.
CARLO	Hai il giardino?
MARIA	Sì, uno piccolo sul davanti e uno grande, dietro la casa.

7

CARLO Hai una camera tua?
MARIA No, la divido con mia sorella.
CARLO È grande la camera?
MARIA No, è piccola, ma bella e luminosa.

8

CARLO Dov'è il bagno?
MARIA È di sopra, davanti alla camera da letto.

ooo

9

MARIA Hai bisogno di qualcosa?
CARLO Sì, avrei bisogno del sapone.
MARIA Eccolo.
CARLO Grazie!

10

CARLO Posso dare una mano?
MARIA Sì, grazie! Potresti aiutare Teresa a sparecchiare.
CARLO Sì, volentieri!

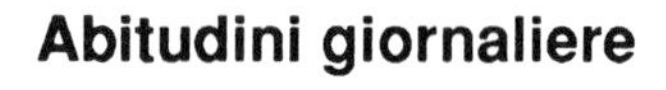

Abitudini giornaliere

11

CARLO A che ora ti alzi di solito?
MARIA Mi alzo alle sette e un quarto.
CARLO E a che ora fai colazione?
MARIA Faccio colazione alle sette e mezzo.

12

CARLO A che ora pranzi?
MARIA Pranzo a mezzogiorno e quaranta.
CARLO A che ora ceni?
MARIA Ceno alle otto.

13

ROBERTO Hai trovato qualche lavoretto?
JANIE Sì, lavoro in un bar.
ROBERTO È molto faticoso?
JANIE Sì, ma mi piace.
ROBERTO Perché?
JANIE Perché posso parlare italiano.
ROBERTO Quante ore al giorno lavori?
JANIE Lavoro quattro ore al giorno.
ROBERTO Guadagni molto?
JANIE Non molto, ma mi danno molte mance.
ROBERTO Che cosa fai con i soldi che guadagni?
JANIE Compro vestiti, dischi e qualche rivista di musica.

Rispondi alle seguenti domande.

1
- **a** Dove abita Silvia?
- **b** Paga molto d'affitto?
- **c** Quanto paga d'affitto?

2
- **a** Perché è caro l'affitto della casa di Massimo?

3
- **a** È facile trovare un appartamento a Milano?
- **b** Come sono i prezzi degli appartamenti?

4
- **a** Dove abita Enrica?
- **b** A che piano abita?
- **c** Quante stanze ci sono nel suo appartamento?
- **d** Dove si trova il giardino?
- **e** Perché non paga l'affitto?

5
- **a** Dove abita Roberto?
- **b** A quale piano abita?
- **c** Perché non paga l'affitto?
- **d** Quanto paga di condominio?

6
- **a** Dove abita Maria?
- **b** Quanti piani ha la sua casa?
- **c** Che cosa c'è al primo piano?
- **d** Che cosa c'è al secondo piano?
- **e** Quanti giardini ha?
- **f** Dove si trova il giardino più grande?

7
- **a** Con chi divide la sua camera Maria?
- **b** Com'è la sua camera?

8
- **a** Dov'è il bagno?

9
- **a** Di che cosa ha bisogno Carlo?

10
- **a** Che cosa vuole fare Carlo?
- **b** Che cosa fa Teresa?

Abitudini giornaliere

11
- **a** A che ora si alza Maria, di solito?
- **b** A che ora fa colazione?

12
- **a** A che ora pranza Maria?
- **b** A che ora cena?

13
- **a** Dove lavora Janie?
- **b** Perché le piace il lavoro?
- **c** Quante ore lavora?
- **d** Guadagna molto?
- **e** Come arrotonda lo stipendio?
- **f** Che cosa fa con i soldi che guadagna?

Esercizio 1 [2.1]

Completa con gli articoli determinativi.

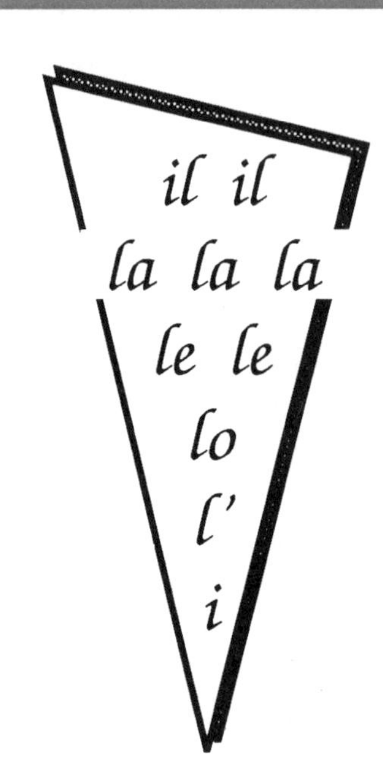

1 Dov'è .... ascensore?
2 Dove sono .... piatti?
3 In fondo al corridoio c'è .... camera da letto.
4 Di fronte al soggiorno c'è .... cucina.
5 Dentro l'armadio c'è .... specchio.
6 Accanto alla sala da pranzo c'è .... bagno.
7 Non c'è .... cantina.
8 Ci sono .... scale.
9 .... balcone è grande.
10 .... pareti sono bianche.

Esercizio  [2.2]

Completa con gli articoli indeterminativi.

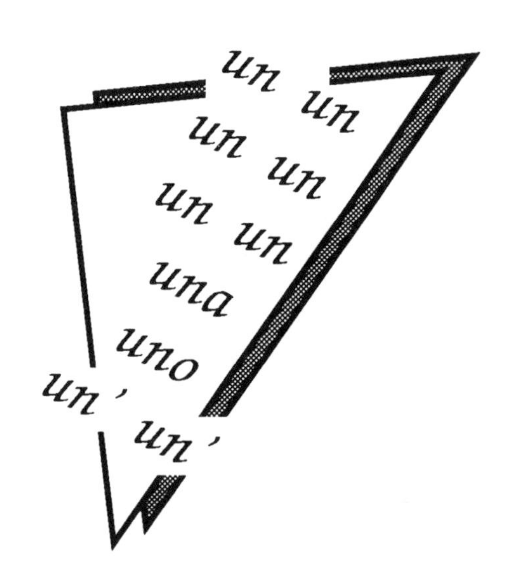

1 Ho .... fratello gemello.
2 Lui ha .... amica italiana.
3 Chi ha .... penna?
4 Noi abbiamo .... gatto.
5 Loro abitano in .... altra città.
6 Lei abita in ....altro paese.
7 Giovanna abita in .... appartamento.
8 Abbiamo .... specchio antico.
9 Abita in .... palazzo al terzo piano.
10 C'è .... grande giardino.

Esercizio  [2.2]

Completa la tabella.

aiuola, amica, apriscatole (m), armadio, coltello, coperta, cucchiaio, forchetta, pentola, sbaglio, sedia, studente.

UN	UNO	UNA	UN'
	sbaglio		aiuola
armadio			

 L'articolo **un** si apostrofa solo davanti a una parola femminile che inizia per vocale. Esempi: un'amica, un'altra.

Esercizio  [5.4]

Rispondi come nell'esempio.

Esempio: Dov'è il cuscino? Eccolo.

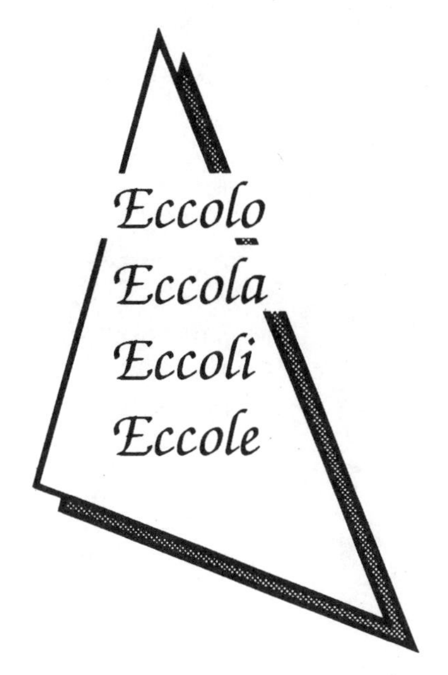

1. Dov'è l'armadio? ....
2. Dov'è la pattumiera? ....
3. Dov'è il sapone? ....
4. Dov'è la teiera? ....
5. Dov'è lo spazzolino? ....
6. Dove sono le fotografie? ....
7. Dove sono i piattini? ....
8. Dove sono gli asciugamani? ....
9. Dove sono le tazze? ....
10. Dove sono i bicchieri? ....

Esercizio  [7.1]

Completa con il verbo "potere".

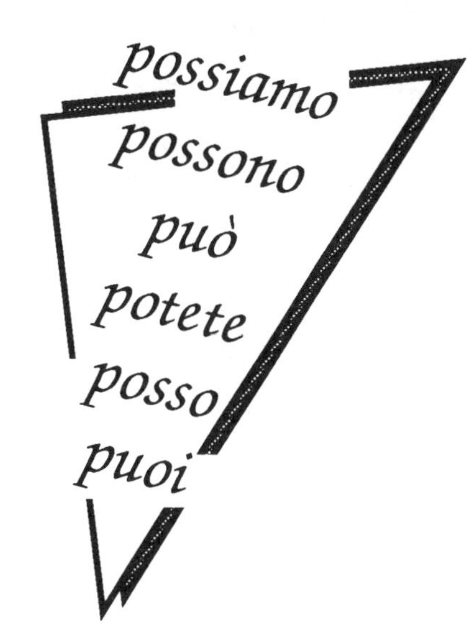

1. (Io) .... fare qualcosa?
2. Tu .... aiutare a sparecchiare.
3. Lui .... preparare da mangiare.
4. Noi .... lavare i piatti.
5. Voi .... apparecchiare.
6. Loro .... guardare la televisione.

⚠ Non confondere **puoi** con **poi** (after).

Esercizio  [7.1]

Leggi le seguenti frasi.

1 (Io) pago **400.000** lire d'affitto.
2 (Tu) paghi più di **500.000** al mese d'affitto?
3 (Lui) paga **550.000** lire d'affitto.
4 (Noi) paghiamo **320.000** lire d'affitto.
5 (Voi) pagate più di **300.000** lire d'affitto?
6 (Loro) pagano **235.000** lire d'affitto.
7 (Io) guadagno **1.300.000** lire al mese.
8 (Tu) guadagni più di **1.000.000** al mese?
9 (Lei) guadagna **1.500.000** lire al mese.
7 (Lui) guadagna **1.600.000** lire al mese.
8 (Noi) guadagniamo **1.800.000** lire al mese.
9 (Voi) guadagnate più di **2.000.000** al mese?
10 (Loro) guadagnano **3.000.000** al mese.

Esercizio 7

Collega le domande con le risposte.

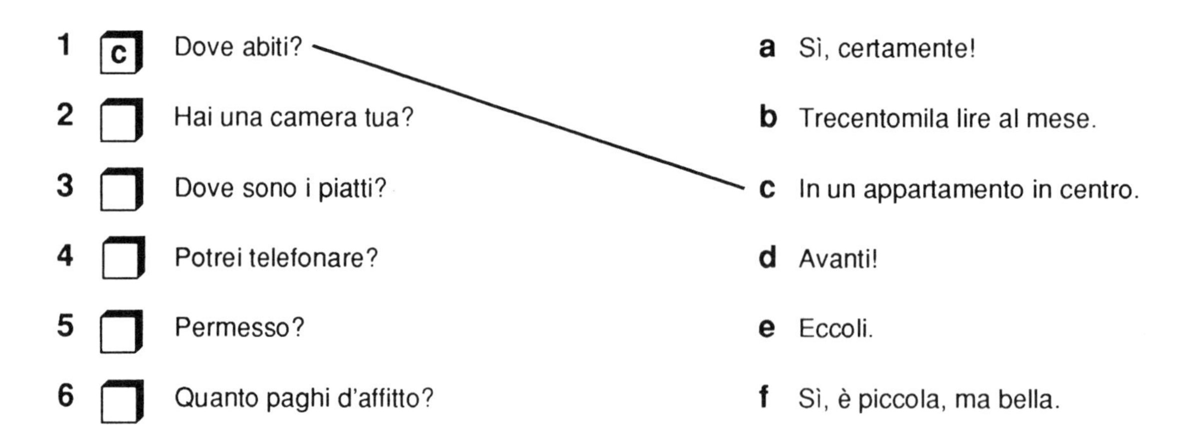

1	c	Dove abiti?	a	Sì, certamente!
2		Hai una camera tua?	b	Trecentomila lire al mese.
3		Dove sono i piatti?	c	In un appartamento in centro.
4		Potrei telefonare?	d	Avanti!
5		Permesso?	e	Eccoli.
6		Quanto paghi d'affitto?	f	Sì, è piccola, ma bella.

Esercizio  8 [7.1]

Completa le seguenti frasi con il presente indicativo e risolvi il cruciverba.

Esempio: Valentina ...*abita*... in una villa. ABITARE

ORIZZONTALI

1	Teresa e Roberto APPARECCHIANO la tavola.	APPARECCHIARE (lay the table)
2	Lui non .... molto.	GUADAGNARE (Earn)
3	Noi .... in un bar.	LAVORARE
4	(Tu) .... spesso i tuoi genitori?	AIUTARE
5	Lei ...compra... molte riviste di musica.	COMPRARE
6	Giorgio .... la tavola.	SPARECCHIARE
7	Loro .... troppo.	MANGIARE
8	Io .... in periferia.	ABITARE
9	Io .... molto d'affitto.	PAGARE

VERTICALE

1 Nel soggiorno, sul ...., c'è un grande tappeto.

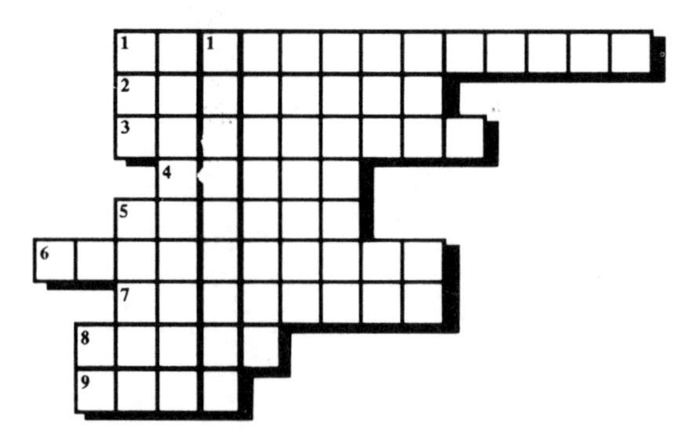

 "Pavement" vuol dire "marciapiede". "Floor" vuol dire "..........................".

Esercizio 9 [7.1]

Completa le risposte e risolvi il cruciverba.

Esempio: Dove **abiti** ?........*Abito*.........in centro.

ORIZZONTALI

1 Con chi **giochi**? .... con mia sorella.
2 **Possiamo** guardare la televisione? No, non ....
3 Quante ore al giorno **lavori**? .... 8 ore al giorno.
4 **Parli** spesso italiano? .... italiano solo a scuola.
5 **Studiate** molto? Sì, ... molto.
6 Che riviste **comprano** di solito? .... riviste di sport.

VERTICALE

1 Come si dice "cantina" in inglese.

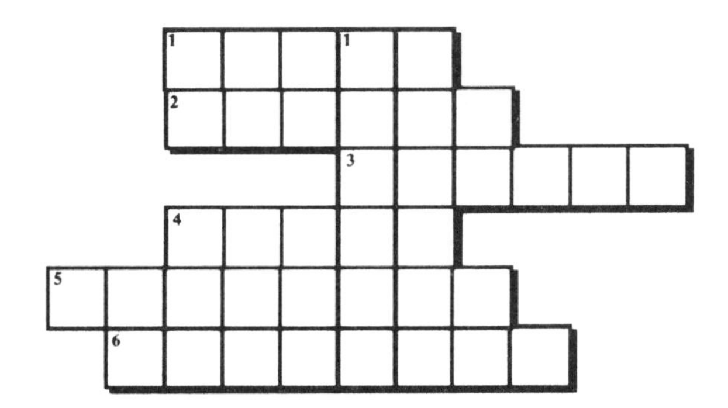

 "Canteen" vuol dire "mensa".

Esercizio  [7.1]

Cerca sul vocabolario 3 verbi in "-are" e completa la tabella.

		ABITARE			
1	io	abit**o** in centro			
2	tu	abit**i**			
3	lui/lei	abit**a**			
4	noi	abit**iamo**			
5	voi	abit**ate**			
6	loro	abit**ano**			

Esercizio  [7.15]

Rispondi alle seguenti domande.

Esempi:

A che ora ti alzi?	*Mi alzo*	alle 7.05.
A che ora si svegliano le tue sorelle?	*Si svegliano*	alle 6.30.
A che ora vi svegliate?	*Ci svegliamo*	alle 6.35.

1	A che ora ti svegli?	MI SVEGLIO	alle 6.40.
2	A che ora si sveglia tua madre?	SI SVEGLIA	alle 6.05.
3	A che ora si sveglia tuo padre?	SI SVEGLIA	alle 6.00.
4	A che ora si alza tuo fratello?	SI ALZA	alle 7.10.
5	A che ora si alza tua sorella?	si alza ~~CI ALZIAMO~~	alle 7.15.
6	A che ora vi alzate?	CI ALZIAMO	alle 7.20.
7	A che ora si alzano i tuoi genitori?	....	alle 6.45.

Esercizio  [7.1]

Completa la tabella.

SPENDERE

1	(Tu) spendi	molto in vacanza?	No, non	....	molto.
2	Bruno spende			....	
3	Lucia spende			....	
4	(Voi) spendete			....	
5	(Loro) spendono			....	

Esercizio  [7.15]

Cerca sul vocabolario 3 verbi regolari in "-ere" e completa la tabella.

		CHIUDERE			
1	io	chiudo la porta			
2	tu	chiudi			
3	lui/lei	chiude			
4	noi	chiudiamo			
5	voi	chiudete			
6	loro	chiudono			

Esercizio  [10]

Completa con le preposizioni.

1. Noi abitiamo ....Via Cavour, 7.
2. Il mio numero .... telefono è 253 68 91.
3. Sono nata .... Bedford, ...Inghilterra.
4. Quanti siete .... famiglia?
5. Mio padre lavora .... una fabbrica.
6. Passi molto tempo .... i tuoi genitori?
7. Divido la camera .... mio fratello.
8. Quanto paghi .... affitto?
9. ....che ora ti alzi?
10. Vai d'accordo .... tua sorella?

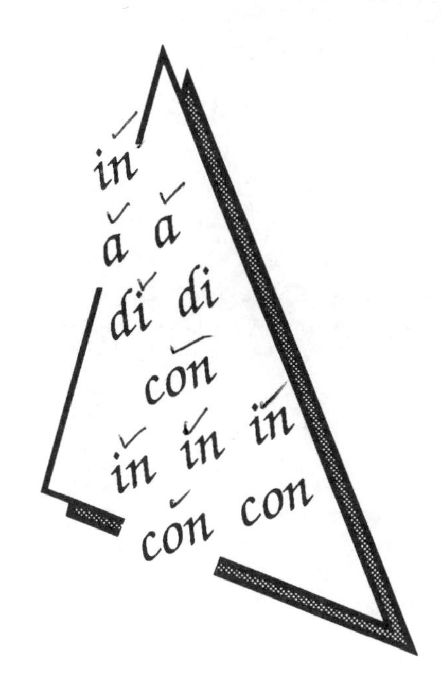

Esercizio 

Collega A con il suo contrario B.

Esempio: Il contrario di **destra** è **sinistra**.

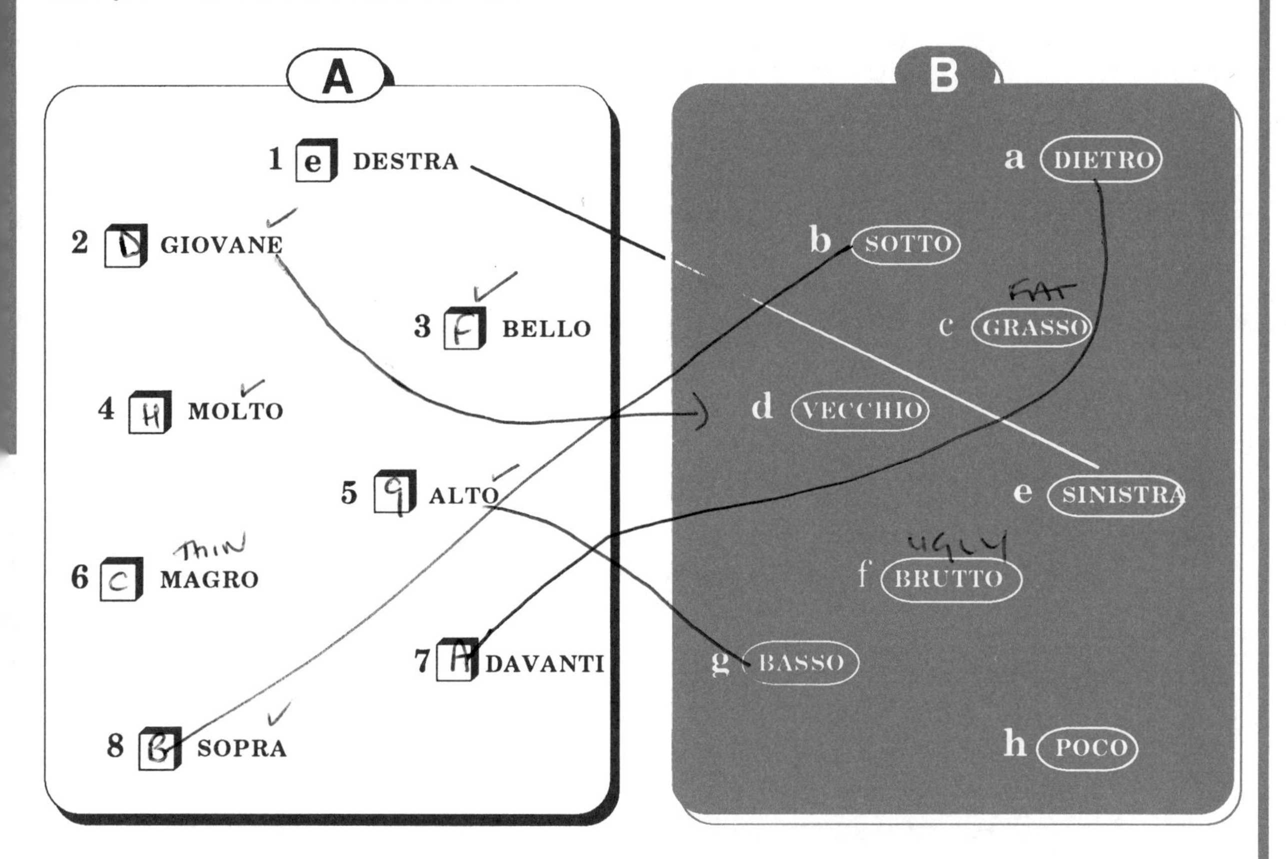

Esercizio 

Scrivi cinque frasi, usando le parole del gruppo B dell'esercizio precedente.

Esempio: Il giardino è dietro la casa.

WORDSEARCH

Come risolvere il "wordsearch".

Nello schema ci sono tutte le parole elencate.

- ☞ Devi cercarle e cancellarle.
- ☞ Le parole nello schema possono essere scritte dall'alto in basso e viceversa, da sinistra a destra e viceversa, diagonalmente; qualche lettera può essere usata più di una volta.
- ☞ Le lettere non cancellate, lette da sinistra a destra, ti daranno la "chiave".

Ascensore
Bagno
Camera
Cantina
Corridoio
Cucina
Entrata
Finestra
Parete

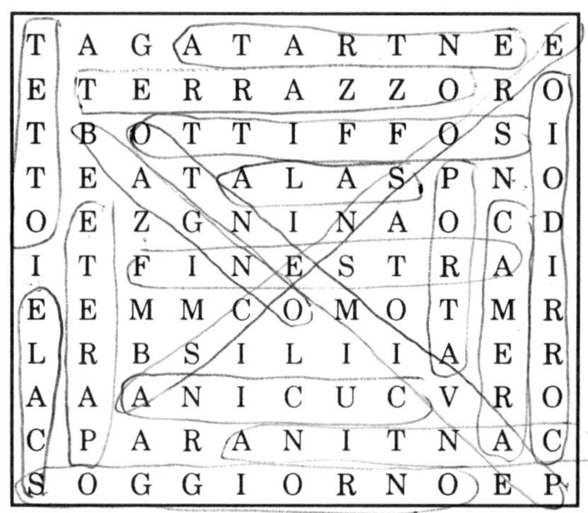

Pavimento
Porta
Sala
Scale
Soffitto
Soggiorno
Terrazzo
Tetto

What would you go, if you wanted to buy or sell a house,

Dove puoi andare, se vuoi comprare, vendere o affittare una casa?

Chiave (7, 11) AGENZIA IMMOBILIARE

VERBI IRREGOLARI: fare, andare, stare.

PRESENTE INDICATIVO

FARE

A

(tu) (lui/lei) (voi) (loro)	A che ora	fai fa fate fanno	colazione?

B

(io) (lui/lei) (noi) (loro)	Faccio Fa Facciamo Fanno	colazione alle 7.30.

ANDARE

A che ora	vai va andate vanno	a dormire?

Vado Va Andiamo Vanno	a dormire alle 22.45.

STARE

Come	stai? sta? state? stanno?

Sto Sta Stiamo Stanno	bene.

- **PRONTI...VIA! THE ITALIAN HANDBOOK**

Tabelle sostitutive:	
• La casa	p. 17
• Abitudini giornaliere	p. 21
Come descrivere una casa	p. 23
Parole comuni negli annunci	p. 30

- **A NEW STYLE ITALIAN GRAMMAR**
  Strutture grammaticali

Articoli determinativi [2.1]	Esercizio 1
Articoli indeterminativi [2.2]	Esercizi 2, 3
Eccolo, eccola, ... [5.4]	Esercizio 4
Numeri [8]	Esercizio 6
Potere [7.1]	Esercizio 5
Preposizioni semplici [10]	Esercizio 14
Presente indicativo -ARE [7.1]	Esercizi 8, 9, 10
Presente indicativo -ERE [7.1]	Esercizi 12, 13
Verbi riflessivi [7.15]	Esercizio 11

Vocabolario - Casa

Alloggio e servizi	p. 53
Mobili, elettrodomestici, articoli per la casa	p. 54
Ospitalità	pp. 54-55
Abitudini giornaliere	p. 55
Lavori (saltuari)	p. 55

Verbi

abitare, accendere, accomodarsi, affittare, alzarsi, andare a trovare, aprire, apparecchiare, arredare, augurare, aver bisogno di, avere, chiudere, comprare, dormire, entrare, essere, fare colazione, fare i compiti, fare la spesa, giocare, lavarsi, lavorare, leggere, mangiare, partire, pettinarsi, pitturare, potere, preparare da mangiare, sparecchiare, spegnere, spolverare, stare, stirare, svegliarsi, traslocare, vestirsi.

Fraseologia essenziale

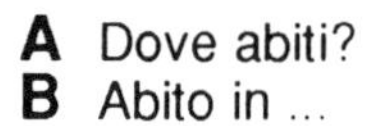

A Dove abiti?
B Abito in ...

A Sei in affitto?
B Sì/No.

A Quanto paghi d'affitto?
B Pago ...

A Dov'è .../dove sono ...?
B È .../Sono ...

A Grazie per l'ospitalità!
B È stato un piacere!

A Permesso?
B Avanti!

A A che ora ti alzi ...?
B Mi alzo alle...

A A che ora fai colazione?
B Faccio colazione alle ...

A A che ora vai a dormire?
B Vado a dormire alle ...

A Posso darti una mano?
B Sì/No, grazie!

AMBIENTE GEOGRAFICO

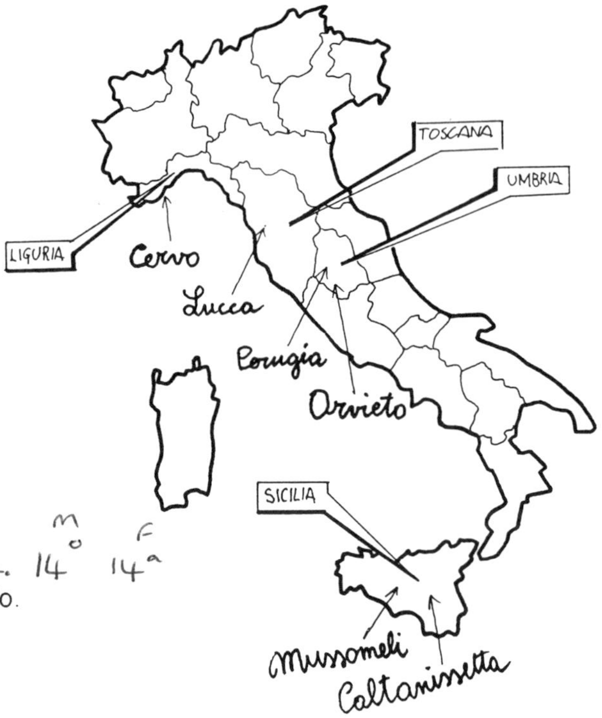

1

KATHY Dove vivi?
ROBERTO Vivo in Italia, a Lucca.
KATHY Dove si trova Lucca?
ROBERTO Si trova in Toscana.
KATHY Lucca è una città grande?
ROBERTO Sì, abbastanza; ci sono circa novantamila abitanti.

2

MASSIMO Di dove sei?
ENRICA Sono di Mussomeli.
MASSIMO Dove si trova?
ENRICA Si trova in Sicilia.
MASSIMO Ci sono monumenti?
ENRICA Sì, c'è un castello del XIV secolo.
MASSIMO Qual è la città più vicina?
ENRICA È Caltanissetta.

3

JANIE Di dove sei?
PAOLA Sono di Cervo.
JANIE Dove si trova?
PAOLA Nel nord Italia.
JANIE È una città grande?
PAOLA No, è un piccolo centro balneare.

4

JANIE Dove abiti?
PAOLA Abito nel centro storico, davanti alla chiesa.
JANIE Si vede il mare da casa tua?
PAOLA Purtroppo no.
JANIE Quanto ci vuole per andare a casa tua dalla stazione?
PAOLA Circa quindici minuti a piedi.
JANIE E quanto impieghi per andare a scuola?
PAOLA Dieci minuti in macchina.

5

ROBERTO Ti piacerebbe vivere in Italia?
KATHY Sì, moltissimo.
ROBERTO Dove ti piacerebbe vivere?
KATHY Nell'Italia centrale, in Umbria.
ROBERTO In una città o in un paese?
KATHY Forse a Orvieto o a Perugia.
ROBERTO Perché?
KATHY Per lo splendido paesaggio e per la gente.

Per il tempo atmosferico, vedi "Pronti...Via! The Italian Handbook", pagina 38.

Rispondi alle seguenti domande.

1
- **a** In che città vive Roberto?
- **b** In che regione si trova?
- **c** È una città grande?

2
- **a** Dove si trova Mussomeli?
- **b** Che cosa c'è di interessante da vedere a Mussomeli?
- **c** Qual è la città più vicina a Mussomeli?

3
- **a** Dove si trova Cervo?
- **b** È una città grande?
- **c** È lontana dal mare?

4
- **a** Dove abita Paola?
- **b** Si vede il mare da casa sua?
- **c** Quanto ci vuole per andare a casa sua dalla stazione?
- **d** Quanto impiega per andare a scuola?

5
- **a** In quale parte d'Italia vivrebbe volentieri Kathy?
- **b** In che città le piacerebbe vivere?
- **c** Perché?

Esercizio

Completa le domande.

Esempio: ....C'è....... un telefono, per favore?

1 Di ....dove....... sei?
2 ....Com'è....... la città più vicina?
3 .... il mare oggi?
4 ....C'è....... un centro sportivo vicino a casa tua?
5 .... ci vuole per andare in centro?
6 ....Come....... si scrive il tuo nome?
7 ....Quanti....... anni hai?
8 ....Quando....... è il tuo compleanno?
9 Nella tua città ....ci sono....... molti monumenti?
10 ....che cosa....... fai di solito il week-end?

ci sono
c'è
come
quando
qual è
quanti
dove
che cosa
com'è
quanto

Esercizio  [10]

Completa con le preposizioni semplici.

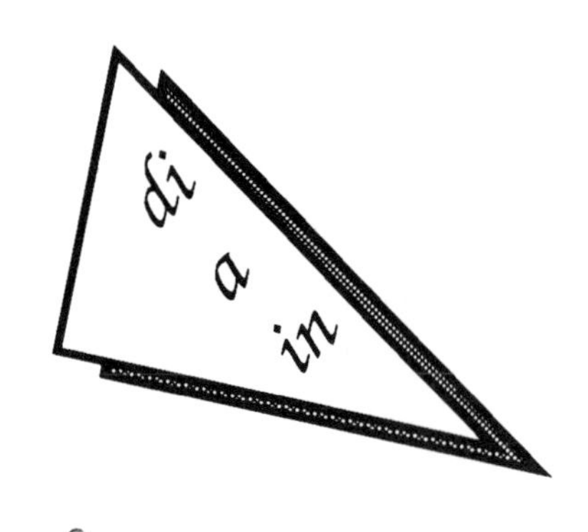

1. Vivo .... Italia, ... Roma.
2. .... dove sei?
3. Sono .... Parma.
4. Bergamo è vicino .... Milano.
5. Noi andiamo .... teatro.
6. Mi piacerebbe vivere .... Venezia.
7. Impiego quindici minuti .... piedi e cinque minuti .... macchina.
8. Com'è il clima .... Italia?

Esercizio  [10.1]

Completa con le preposizioni articolate.

Vado	.... castello.
Vai	.... aeroporto?
Va	.... stadio.
Andiamo	.... laghi.
Andate	.... festa?
Vanno	.... università.
Vorrei andare	.... terme.

Esercizio  [10.1]

Esercizio come il precedente.

1. Quanto ci vuole per andare .... museo?
2. La mia casa è in fondo .... strada.
3. Abito .... primo piano.
4. Vado .... spettacolo delle otto.
5. Il ristorante è davanti .... albergo.
6. La mia casa è vicina .... giardini pubblici.
7. Mi alzo .... sette.
8. Io pranzo .... una.
9. Vado .... cinema.
10. Vado .... mare.

Cinema è maschile.

Esercizio  [1.1][1.2]

Volgi al plurale.

Esempio: Il teatro è aperto. I teatri sono aperti.

1 Questa è la città più vicina. ....
2 Il bar è chiuso. ....
3 La discoteca apre alle 8.00. ....
4 Si vede la collina. ....
5 L'albergo è dietro la stazione. ....
6 C'è il traghetto per l'isola? ....

Esercizio 

Trova i contrari delle parole sottolineate.

1	f	È una grande città.	a	periferia
2	e	È vicino.	b	davanti
3	a	Abito in centro.	c	pochi
4	b	È dietro al duomo.	d	scendere
5	d	Bisogna salire.	e	lontano
6	c	Vicino all'albergo ci sono molti negozi.	f	piccola
7	g	La discoteca è in fondo, a destra.	g	sinistra

Esercizio 

Esercizio come il precedente.

1	c	È una bella giornata.	a	diminuzione
2	f	Oggi fa caldo.	b	sereno
3	e	Il mare è calmo.	c	brutta
4	b	Cielo nuvoloso su tutte le regioni.	d	mattino
5	g	Pioggia sulle regioni settentrionali.	e	mosso
6	a	Temperature in aumento.	f	freddo
7	D	Precipitazioni la sera.	g	meridionali

Esercizio  [7.1]

Completa con il verbo "vivere" e trova le varie forme verbali nel cruciverba.

1 Io ....vivo........ in Inghilterra.
2 (Tu) dove .....vivi........?
3 Il nostro professore ......vive.... a Londra.
4 Michele ......vive..... a Piacenza.
5 Noi non ..viviamo.... più in Italia.
6 Voi .....vivete... ancora a Chicago?
7 Lidia e Alessandro ....vive....... in America.
8 Loro dove ....vivono.... ?
9 Ti piacerebbe ....vivi...... in Italia?
10 Paul ....vive... a Kingston.

Esercizio 

Collega le domande con le risposte.

1	☐	Dove vai di solito il lunedì sera?	a	Va a teatro.
2	a	Dove va Franco di solito il martedì sera?	b	Andiamo al ristorante.
3	☐	Dove andate di solito il mercoledì sera?	c	Vanno in discoteca.
4	☐	Dove vanno di solito il giovedì sera?	d	Vado al cinema.

Esercizio 

Esercizio come il precedente.

1	☐	Che cosa fai di solito il venerdì sera?	a	Fa qualche passeggiata.
2	☐	Che cosa fa Carlo il sabato mattina?	b	Faccio dello sport.
3	☐	Che cosa fate di solito la domenica mattina?	c	Fa bel tempo.
4	☐	Che cosa fanno di solito il week-end?	d	Fanno gite in montagna.
5	☐	Che tempo fa?	e	Non facciamo niente di particolare.

Esercizio  [7.1]

Completa le frasi con il presente indicativo e risolvi il cruciverba.

ORIZZONTALI

1	Gianni .... in banca.	LAVORARE
2	Che cosa (noi) .... stasera?	FARE
3	(Tu) .... Mariella?	CONOSCERE
4	Io e Giovanna .... al mare.	ANDARE
5	Oggi (loro) .... il castello.	VISITARE
6	Oggi (io) non .... niente di particolare.	FARE
7	Durante le vacanze (io) .... molto.	CAMMINARE
8	(Io) .... visitare il museo.	PREFERIRE
9	(Tu) di dove .... ?	ESSERE

VERTICALE

1
A Come si dice in inglese: "Che bel paesaggio!"?
B Si dice: "What a beautiful .... !"

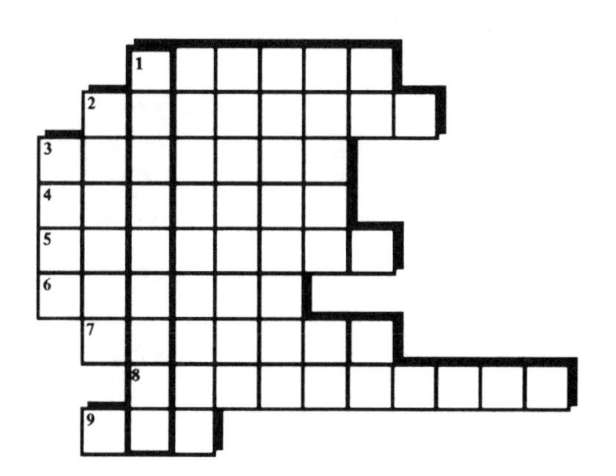

Esercizio  [7.13]

Rispondi come nell'esempio.

Esempio: Com'è il tempo? Sta nevicando. NEVICARE

1	Com'è il tempo?	....	PIOVIGGINARE
2	Com'è il tempo?	....	PEGGIORARE
3	Com'è il tempo?	....	CAMBIARE
4	Com'è il tempo?	....	COMINCIARE A PIOVERE
5	Com'è il tempo?	....	MIGLIORARE
6	Com'è il tempo?	....	PIOVERE
7	Com'è il tempo?	....	GRANDINARE

Esercizio  [7.1]

Completa la tabella e scrivi cinque frasi (una per ogni verbo).

	ESSERE	AVERE	ABITARE	VEDERE	PREFERIRE
io	sono	ho		vedo	
tu	sei	hai		vedi	
lui/lei	è	ha		vede	
noi	siamo	abbiamo		vediamo	preferiamo
voi	siete	avete	abitate		
loro	sono	hanno			

1 ....

2 ....

3 ....

4 ....

5 ....

Esercizio 

Fai le domande.

1	....?	Vivo in Italia.
2	....?	Ho quindici anni.
3	....?	Janie e Kathy sono inglesi.
4	....?	Lavoriamo in una fabbrica.
5	....?	Siamo in quattro in famiglia.
6	....?	Pagano 300.000 lire d'affitto.
7	....?	Di solito vado a dormire alle undici.
8	....?	I miei genitori vivono in Australia.
9	....?	Roberto è di Lucca.
10	....?	Abitiamo in centro.

WORDSEARCH

Come si chiama la più piccola e antica repubblica d'Europa?

Chiave (10, 2, 3, 6) _ _ _ _ _ _ _ _ _ _   _ _   _ _ _   _ _ _ _ _ _

Africa
Albania
America
Argentina
Australia
Austria
Asia
Belgio
Bulgaria
Canada
Cecoslovacchia
Cina
Danimarca
Egitto
Etiopia
Europa
Finlandia
Francia
Galles
Germania
Giappone
Grecia
India
Inghilterra
Iran

```
R E N O P P A I G A L L E S Q A R I
A U S T R I A E A L E U Z E N E V P
R B A I N A B L A A D N A L R I A R
G E U F R A N C I A B I R A N P O O
E L I B I A A I N A M R E G O L G M
N G S A S I A I O S B L H R L F R A
T I P A A L M I L C V I U A A I U N
I O A I I A A A O D L E G I N N B I
N A G H R R S M P T A O Z A D L M A
A R N C A T N M E I T A L I A A E I
A E A R G S R R S R I N D I A N S R
M Z I U L U R S O C I N A A I D S E
E Z Z T U A U P G R E C I A N I U H
S I O N B R I U G O S L A V I A L G
S V C E C O S L O V A C C H I A C N
I S S A F R I C A I G E V R O N O U
C S I R I A D N A L S I S R A E L E
O T T I G E T I O P I A I L A M O S
```

Iraq
Irlanda
Islanda
Israele
Italia
Iugoslavia
Libia
Lussemburgo
Messico
Norvegia
Olanda
Polonia
Portogallo
Romania
Russia
Scozia
Siria
Somalia
Spagna
Svezia
Svizzera
Turchia
Ungheria
Venezuela

Il tempo

Previsioni a cura del servizio dell'Aeronautica

PREVISIONI

TEMPO PREVISTO: sul settore nord-occidentale e sulla Sardegna variabilità con qualche residuo fenomeno. Sulle altre regioni da molto nuvoloso a temporaneamente coperto con piogge sparse. Dalla serata attenuazione generale dei fenomeni. **TEMPERATURA:** stazionaria. **VENTI:** moderati da ovest-sudovest sulle regioni meridionali; deboli o localmente moderati intorno a nord sulle altre regioni. **MARI:** generalmente mossi.

TEMPERATURE IN ITALIA:

Alghero	+11 +17	Genova	+14 +18	Pisa	+ 9 +10
Bari	+ 7 +20	Imperia	+13 +16	Potenza	+ 8 +19
Bologna	+10 +16	L'Aquila	+ 7 +20	R. Calabria	+11 +19
Bolzano	+ 7 +18	Messina	+14 +20	Roma Fium.	+11 +19
Cagliari	+15 +20	Milano	+11 +14	Roma Urbe	+10 +22
Campobasso	+ 9 +20	Mondovi	+10 +11	Torino	+ 9 +11
Catania	+10 +23	Napoli	+ 8 +22	Trieste	+ 8 +15
Cuneo	+ 9 +10	Palermo	+14 +21	Venezia	+ 7 +16
Firenze	+ 7 +18	Perugia	+10 +18	Verona	+10 +15

ALL'ESTERO:

Amsterdam	+ 2 +14	Gerusalemme	+15 +22	Nuova Delhi	+22 +40
Atene	+10 +20	Ginevra	+ 2 +16	New York	+ 6 +13
Bangkok	+28 +35	Helsinki	n.p. n.p.	Oslo	− 3 + 7
Belgrado	+ 5 +16	Hong Kong	+19 +21	Parigi	+ 9 +17
Berlino	+ 6 +15	Il Cairo	+15 +32	Rio de Janeiro	+18 +33
Bruxelles	+ 4 +16	Istanbul	+ 8 +15	S. Francisco	+16 +29
Buenos Aires	+14 +19	Londra	+ 7 +14	Stoccolma	0 + 4
Chicago	+ 3 +12	Los Angeles	+18 +31	Sydney	+17 +21
Copenaghen	+ 4 + 8	Madrid	+ 5 +16	Tokio	+10 +19
Dublino	+ 4 +12	Montreal	+ 4 +12	Varsavia	+ 2 +13
Francoforte	+ 2 +16	Mosca	+ 1 + 7	Vienna	+ 6 +17

Evoluzione generale: Aria umida e debolmente instabile influenza ancora marginalmente le nostre isole maggiori. Su tutte le altre regioni permane l'azione di un'area di alta pressione.
Tempo previsto: Su tutte le regioni inizialmente poco nuvoloso o quasi sereno, con residui annuvolamenti irregolari sulle isole maggiori. Nebbie in banchi e foschie dense in temporaneo diradamento durante le ore diurne, ed in nuova intensificazione, dopo il tramonto, sulle regioni settentrionali e sui litorali del medio versante adriatico. Dalla serata locale aumento della nuvolosità sull'arco alpino orientale, in propagazione alle zone prealpine venete.
Temperatura: Senza variazioni di rilievo, salvo locali diminuzioni sul versante orientale peninsulare.
Venti: Moderati settentrionali sulle regioni adriatiche: deboli orientali sulle altre regioni.
Mari: Mossi l'Adriatico centro-meridionale e lo Jonio settentrionale; generalmente poco mossi gli altri mari.

torna il bel tempo

MERCOLEDI' 24: nuvolosità variabile con addensamenti accompagnati da isolati rovesci anche temporaleschi più frequenti durante le ore più calde, ma con tendenza a miglioramento ad iniziare dal settore più occidentale. Temperatura in aumento.

GIOVEDI' 25: su tutte le regioni prevalenza di cielo sereno o poco nuvoloso. Tendenza ad annuvolamento sul settore nord-occidentale. Nottetempo e al primo mattino foschie dense sulle zone pianeggianti centro-settentrionali.

VENERDI' 26: sulle regioni settentrionali, sulla Toscana e sulla Sardegna nuvoloso o temporaneamente molto nuvoloso con precipitazioni.

Verbi

andare, andarsene, avviarsi, avvicinarsi a, camminare, dirigersi, fare, girare, passeggiare, prendere, risalire, ritornare, salire, scendere, tornare, vedere, venire, visitare, vivere, annoiarsi, conoscere, credere, divertirsi, dovere, godersi, indicare, osservare, piacere, sapere, sembrare. (Tempo atmosferico) aver caldo/freddo, cadere, cambiare, cominciare, correre, far bel tempo/ brutto tempo, gelare, indossare, lampeggiare, migliorare, nevicare, peggiorare, piovere, piovigginare, prevedere, ripararsi, scivolare, sudare.

Fraseologia essenziale

A Dove vivi?
B Vivo in/a ...

A Di dove sei?
B Sono di ...

A Dove si trova?
B Si trova ...

A C'è ...?
B Sì, c'è./ No, non c'è.

A Ci sono ...?
B No, non ci sono.

A Ti piacerebbe vivere in/a ...?
B Sì/No

A Che tempo fa?
B Fa bel/brutto tempo.

A C'è il sole?
B No, piove/nevica.

A Fa caldo?
B No, fa freddo.

VIAGGI E TRASPORTI

Comprendere e dare indicazioni stradali

1

JANIE Scusi!
PASSANTE Sì, dica!
JANIE Dov'è il museo?
PASSANTE Il museo...sì, prenda la seconda a destra, vada fino al semaforo e attraversi la strada; il museo è lì, sulla sinistra.

2

PAOLA Mi sa dire dov'è un ufficio postale?
PASSANTE Sì, dunque (*)...vada fino all'incrocio, poi volti a sinistra e a cento metri sulla sinistra trova l'ufficio postale.
PAOLA Grazie!

3

ROBERTO Scusi, c'è una banca qui vicino?
PASSANTE Sì, nella via parallela a questa, di fronte alla stazione.
ROBERTO Mille grazie!

Trasporto pubblico

4

ROBERTO C'è un treno espresso per Alassio?
BIGLIETTAIO Sì, ce n'è uno alle sette e dieci.
ROBERTO Mi dia un biglietto di andata e ritorno, per favore.
BIGLIETTAIO Di prima classe?
ROBERTO No, di seconda.
BIGLIETTAIO Ecco a lei. Sono tredicimilacinquecento lire.

TRENI IN PARTENZA

DESTINAZIONE	CATEGORIA	ORARIO	BINARIO
TORINO	EXP.	19.50	11
GENOVA	DIR.	20.16	14
MILANO	DIR.	19.57	18
FIRENZE	[illegible]	20.08	20

5

SILVIA A che ora parte la corriera per Roma?
BIGLIETTAIO Parte alle sedici e trenta.
SILVIA E a che ora arriva?
BIGLIETTAIO Alle diciotto.
SILVIA Grazie!

6

MARIA A che ora parte il treno per Salerno?
BIGLIETTAIO Parte alle quindici.
MARIA A che ora arriva?
BIGLIETTAIO Alle sedici e un quarto.
MARIA Da che binario parte?
BIGLIETTAIO Dal primo binario.

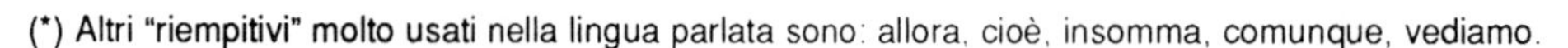

(*) Altri "riempitivi" molto usati nella lingua parlata sono: allora, cioè, insomma, comunque, vediamo.

7

Janie Può dirmi quando devo scendere per Pisa?
Bigliettaio Tra due fermate.
Janie C'è subito la coincidenza per Firenze?
Bigliettaio No, deve aspettare mezz'ora.

8

Carlo Quanto costa un biglietto di sola andata per Viareggio?
Bigliettaio Costa ventiduemila lire.
Carlo Ci sono riduzioni per studenti?
Bigliettaio Sì, del 30% se ha la tessera.
Carlo Per quanti giorni è valido il biglietto?
Bigliettaio Per un mese.
Carlo Grazie!

Viaggiare in aereo e via mare

9

Silvia A che ora c'è un volo per Torino?
Impiegato Il primo volo è alle diciannove.
Silvia Quanto costa il biglietto di andata e ritorno?
Impegato Duecentocinquantamila lire.

10

Massimo A che ora parte l'aliscafo per Ponza?
Impiegato Alle otto e cinque.
Massimo Quanto costa il biglietto di andata e ritorno?
Impiegato Trentasettemila lire.

Trasporto privato

11

Enrica Buongiorno! Il pieno, per favore.
Benzinaio Desidera altro?
Enrica Sì, mi controlli l'olio, per favore.
Benzinaio Ecco fatto.
Enrica Quanto le devo?
Benzinaio Allora... trentaseimilaottocento lire di benzina e mezzo litro d'olio fanno... quarantaseimila lire.
Enrica Ecco a lei.
Benzinaio Grazie e buon viaggio!

12

Benzinaio Buongiorno! Desidera?
Valerio Trentamila lire di super senza piombo. Mi controlla anche la pressione delle gomme, per favore?
Benzinaio Desidera altro?
Valerio Mi sa dire qual è la strada per Viareggio?
Benzinaio Sì, al prossimo incrocio volti a sinistra; la prima a destra è la statale per Viareggio.
Valerio Mille grazie!
Benzinaio Arrivederci!

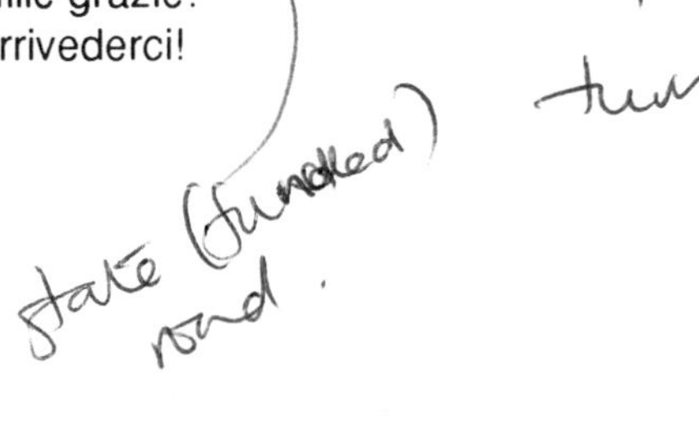

In base alle indicazioni dei tre passanti (vedi dialoghi 1,2,3), cerca sulla cartina:

1 il museo
2 l'ufficio postale
3 la banca

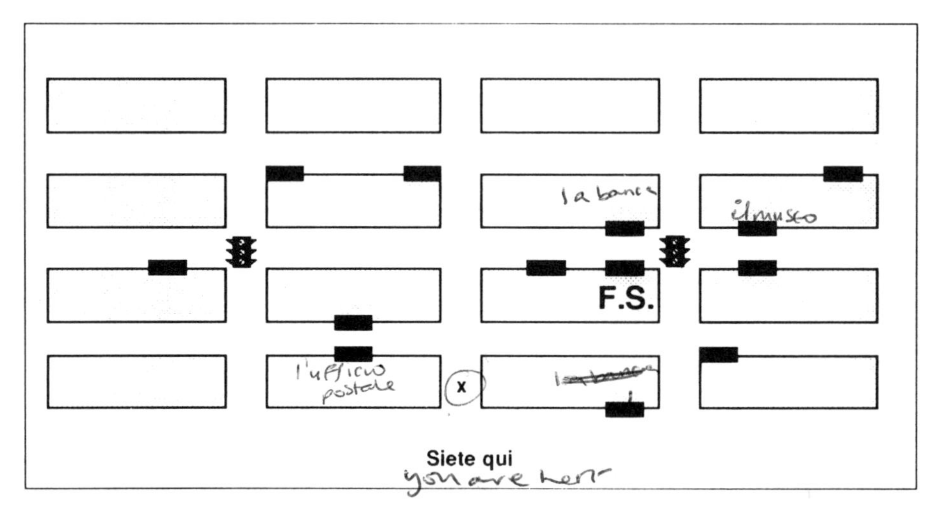

Semaforo

F.S. Stazione

Rispondi alle seguenti domande.

4
a A che ora parte il primo treno per Alassio?
b Che biglietto compra Roberto?
c Quanto paga?

5
a A che ora parte la corriera per Roma?
b A che ora arriva a Roma?

6
a A che ora parte il treno per Salerno?
b A che ora arriva?
c Da che binario parte?

7
a Tra quante fermate deve scendere Janie?
b Dopo quanto tempo c'è la coincidenza?

8
a Quanto costa il biglietto per Viareggio?
b Chi ha diritto alla riduzione del 30%?
c Quanti giorni è valido il biglietto?

9
a A che ora parte il primo volo per Torino?
b Quanto costa il biglietto?

10
a A che ora parte l'aliscafo per Ponza?
b Quanto costa il biglietto?

11
a Quanta benzina vuole Enrica?
b Quanto olio aggiunge il benzinaio?
c Quanto paga Enrica per la benzina?
d Quanto paga in tutto?
e Che cosa dice il benzinaio, dopo aver dato il resto e ringraziato?

12
a Quanta benzina vuole Valerio?
b Che tipo di benzina vuole?
c Dove deve andare Valerio per prendere la statale per Viareggio?

Esercizio (in coppia) 

Lo studente A fa le domande e lo studente B risponde.

STUDENTE A

Chiedi al compagno le indicazioni e cerca sulla cartina:

1 il castello [C] - **2** la questura [Q] - **3** un parcheggio [P] - **4** una discoteca [D]
5 un ufficio informazioni [I] - **6** la biblioteca [B] - **7** la metropolitana [M]

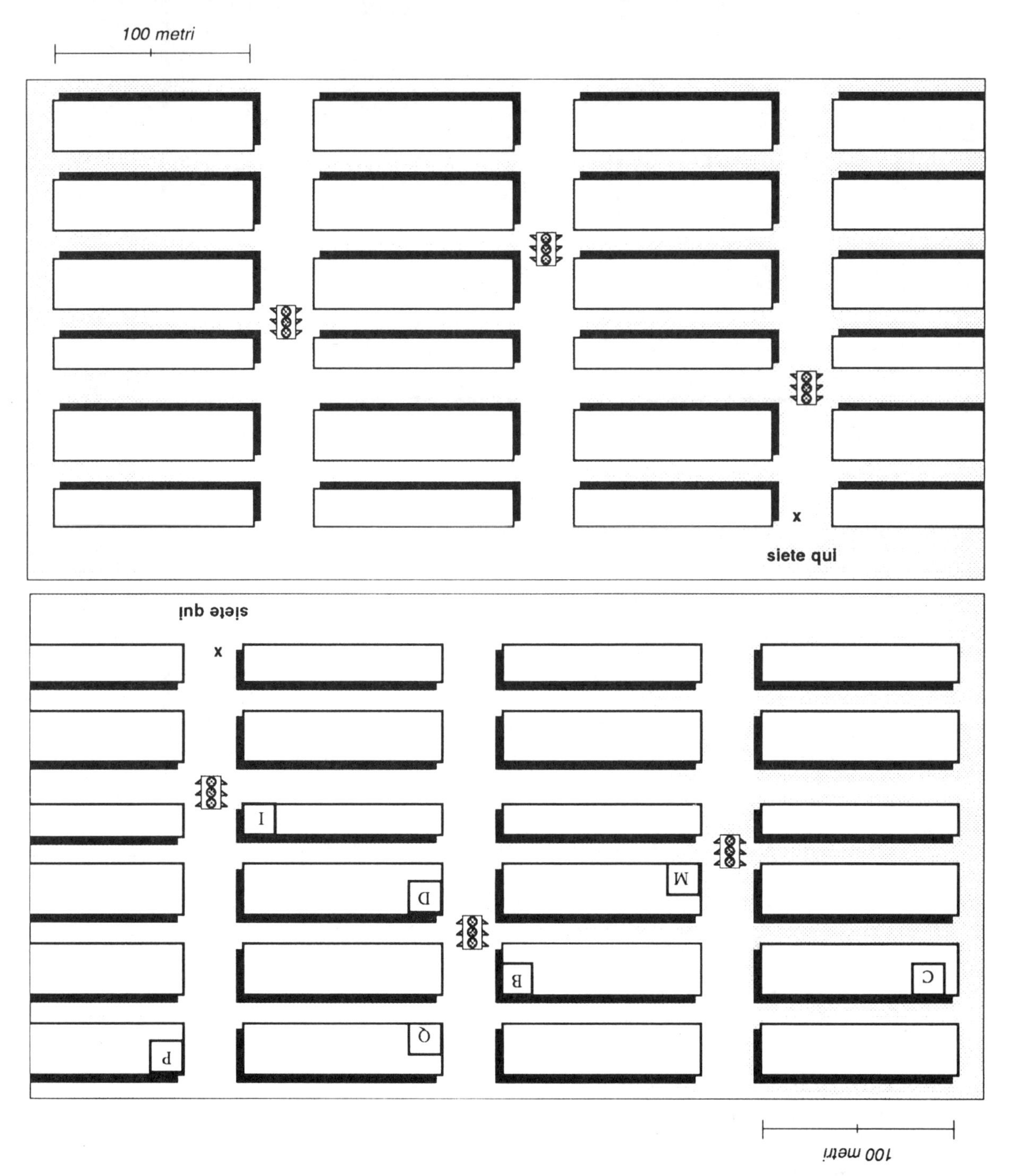

STUDENTE B

In base alla piantina, rispondi alle domande del compagno.
(C = Castello, Q = Questura, P = Parcheggio, D = Discoteca, I = Ufficio informazioni, B = Biblioteca, M = Metropolitana.)

Esercizio  [2.1]

Completa con gli articoli determinativi.

1	Scusi! Mi sa dire dov'è	.... metropolitana?
2		.... castello?
3		.... municipio?
4		.... mercato?
5		.... ostello della gioventù?
6		.... questura?
7		.... stazione?
8		.... stadio?
9		.... ufficio postale?
10		.... fermata delle corriere?

Esercizio  [2.2]

Completa con gli articoli indeterminativi (un, uno, una, un').

1	Scusi, c'è	.... trattoria	qui vicino?
2		.... officina	
3		.... ufficio informazioni	
4		.... garage	
5		.... mercato	
6		.... piscina	
7		.... ristorante	
8		.... parcheggio	
9		.... stadio	
10		.... albergo	

Esercizio  [3.13] [4]

Completa con "molto, molta, molti, molte".

1 È .... lontana la banca?
2 È .... lontano il castello?
3 Ci sono .... macchine.
4 Mario è .... gentile.
5 Maria è .... gentile.
6 Non ho .... moneta.
7 Ti piace viaggiare? Sì, ...
8 C'è un parcheggio .... grande.
9 Hai .... bagagli?
10 C'è .... traffico.

Esercizio  [3.13] [4]

Esercizio come il precedente.

1 Ci sono .... voli per Londra.
2 Ci sono .... fermate?
3 Lidia viaggia ....
4 La stazione è .... piccola.
5 Questo treno è .... veloce.
6 C'è .... gente.
7 Ci sono .... persone.
8 Ha .... fretta.
9 Ci sono .... corriere?
10 La mia casa è .... vicina alla stazione.

 **Gente** è femminile singolare.

Esercizio  [10]

Completa con le preposizioni.

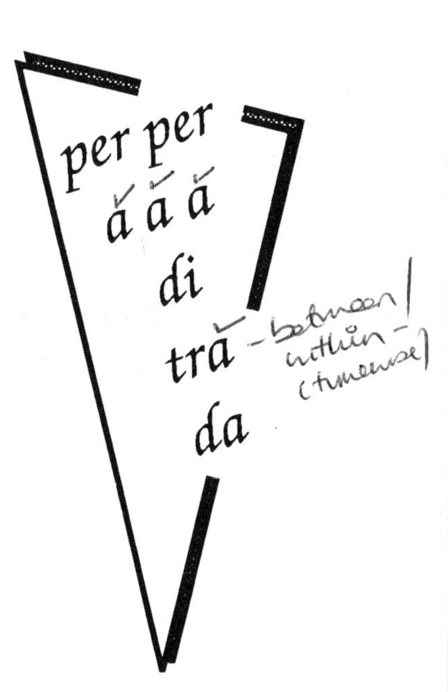

1 Per il museo prenda la prima .... destra.
2 La farmacia è nella via parallela .... questa.
3 Vorrei un biglietto .... andata e ritorno.
4 Vorrei un biglietto .... Milano.
5 C'è un treno .... mezz'ora.
6 Ci sono riduzioni .... studenti?
7 A che ora arriva .... Londra?
8 .... che binario parte il treno per Trieste?

Esercizio  [7.12]

Completa le frasi con l'imperativo e risolvi il cruciverba.

Esempio: ATTRAVERSARE (Lei) ....*attraversi*....... la strada.

ORIZZONTALI

1 GIRARE (Lei) .... a sinistra.
2 VOLTARE (Lei) .... a sinistra.
3 SEGUIRE (Lei) .... l'autobus.
4 ATTRAVERSARE (Tu) .... la strada.
5 CONTINUARE (Tu) .... fino all'incrocio.
6 GIRARE (Loro) .... a destra.
7 PRENDERE (Lei) .... la prima a destra.
8 VOLTARE (Loro) .... a destra.
9 CONTINUARE (Lei) .... sempre dritto.
10 PRENDERE (Tu) .... la seconda a sinistra.

VERTICALE

1 Scusi, c'è un .... qui vicino?

Esercizio 8 [11]

Completa con le preposizioni articolate.

1 Per il castello continui dritto fino .... semaforo.
2 Mi controlla la pressione .... gomme?
3 Il treno parte .... 16.30.
4 Deve cambiare .... prossima fermata.
5 Il treno parte .... binario 4.
6 Deve scendere .... capolinea.
7 Vorrei l'orario .... treni.
8 Vorrei una piantina .... metropolitana.
9 Vorrei un posto accanto .... finestrini.
10 Vorrei un posto vicino .... corridoio.

della delle
dei
al al al
alla alle
ai
dal

Esercizio 9 [7.6]

Completa con il futuro del verbo "partire".

1 A che ora .... (tu)?
2 Il treno per Firenze .... dal primo binario.
3 Valerio .... sabato prossimo.
4 (Loro) non .... domani.
5 A che ora .... (voi)?
6 Io .... tra una settimana.
7 I suoi amici .... alle nove.
8 Lei, professore, quando .... ?
9 Noi .... alle sette.
10 Valeria e Fabrizio .... domenica.

partirò
partirai
partirà
partiremo
partirete
partiranno

Esercizio 10

Collega ogni parola del gruppo A con il suo contrario del gruppo B.

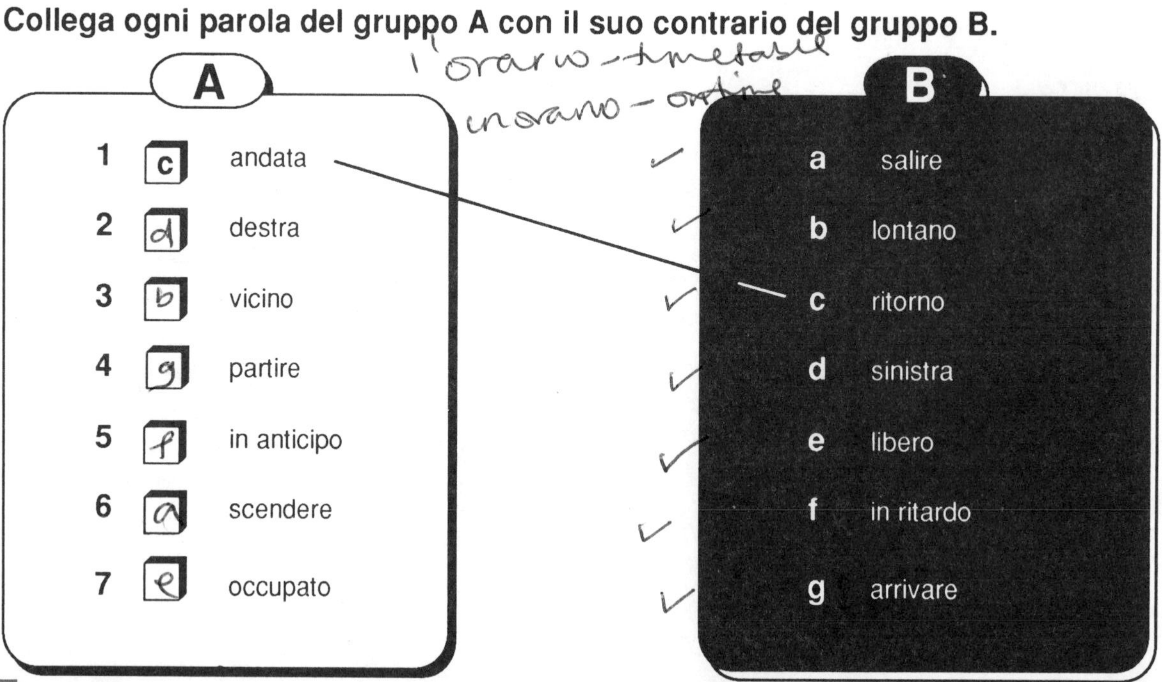

A
1 andata
2 destra
3 vicino
4 partire
5 in anticipo
6 scendere
7 occupato
B
a salire
b lontano
c ritorno
d sinistra
e libero
f in ritardo
g arrivare

Esercizio 11

Scrivi almeno tre frasi, usando le parole del gruppo B dell'esercizio precedente.

Esempio: Il treno espresso è in ritardo.

Esercizio 12 [7.6]

Completa con il futuro e risolvi il cruciverba.

ORIZZONTALI

1 PRENDERE — Enrica e Roberto .... il treno delle sei.
2 RITORNARE — Alfredo .... a Londra.
3 ASPETTARE — Noi .... David alla stazione.
4 PRENOTARE — Marina .... anche per noi.
5 SCENDERE — (Voi) .... al capolinea.
6 COMPRARE — Io .... una nuova bicicletta.
7 CAMBIARE — Dove (voi) .... i soldi?
8 ARRIVARE — A che ora .... i tuoi genitori?
9 TELEFONARE — Gabriella .... alle 10.
10 SCRIVERE — Questa sera (io) .... una lettera a Silvia.

VERTICALE

1 Completa: l'altro ieri, ieri, oggi, domani, _ _ _ _ _ _ _ _ _ _ _

Esercizio 13

Fai le domande.

1
A ....?
B Sì, dunque... volti a sinistra e a cinquanta metri troverà l'ufficio postale.

2
A ....?
B Il treno per Pisa parte alle sette.

3
A ....?
B Arriva a Salerno alle 16.50.

4
A ....?
B Parte dal primo binario.

5
A ....?
B Il biglietto di andata e ritorno costa 50.000 lire.

6
A ....?
B Questo biglietto è valido per un mese.

7
A ....?
B Partirò tra una settimana.

Esercizio (in coppia) 

Lo studente A fa le domande e lo studente B risponde.

STUDENTE A

1 Sei in vacanza a Milano. Hai un appuntamento a Ventimiglia alle 7.00.
Telefona all'ufficio informazioni della stazione di Milano.

☞ Chiedi a che ora parte il primo treno. ....

☞ Chiedi se è un treno espresso. ....

☞ Chiedi a che ora arriva. ....

2 Sei a Milano. Devi incontrare alcuni amici a Genova Principe per le 16.15.
Telefona all'ufficio informazioni della stazione.

☞ Chiedi che treno devi prendere. ....

☞ Chiedi se è un treno espresso. ....

☞ Chiedi a che ora arriva. ....

3 Un tuo amico inglese, in vacanza a Pavia, ha un appuntamento a Savona alle 9.00.
Telefona per lui all'ufficio informazioni della stazione.

☞ Chiedi che treno deve prendere. ....

☞ Chiedi se è un treno espresso. ....

☞ Chiedi a che ora arriva. ....

□ = **IC** (Inter City) - **EC** (Euro City). Rapidi - Tee

⊗ = Treno con particolari norme di ammissione dei viaggiatori.

Milano-Genova Ventimiglia

		Expr			Expr	IC	Dir	Expr	IC	Expr	Dir	Expr	IC	Expr	Dir
		—				⊗✗								✗	✗
Milano C.	p	**0 05**	1 05		6 05	**6 40**	6 55	8 05	**9 15**	10 05		12 05	**13 15**	14 05	14 15
Pavia	p	**0 30**	1 55		6 30	**7 03**	7 25	8 30	**9 38**	10 30		12 30	**13 38**	14 30	14 48
Voghera	p	**0 46**	2 36		6 46	**7 19**	7 46	8 46	**9 54**	10 46		12 46	**13 54**	14 46	15 06
Genova P.P.	a	**1 42**	4 42		7 42	**8 10**	8 47	9 42	**10 45**	11 42		13 42	**14 45**	15 42	16 07
Genova P.P.	p	**2 25**	6 02	6 53	8 02	**8 23**		10 02		12 02	13 00	14 02	15 00	16 02	16 58
Savona	p	**3 39**	6 38	7 34	8 38	**8 53**		10 38		12 38	13 34	14 38	15 34	16 38	17 29
Alassio	p	**4 48**	7 22	8 23	9 36	|		11 22		13 22	14 24	15 22	16 24	17 22	18 30
Imperia On.	p	**5 20**	7 45	8 46	10 00	|		11 45		13 42	14 46	15 45	16 46	|	18 54
Imperia P.M.	p	**5 26**		8 51	|	**9 43**		|		|	14 51	|	16 51	17 47	
Sanremo	a	**6 04**	8 12	9 20	10 41	**10 07**		12 12		14 12	15 18	16 12	17 18	18 07	19 38
Ventimiglia	a	**6 40**	8 33	9 42	11 04	**10 25**		12 33		14 33	15 38	16 33	17 38	18 22	20 01

Sei impiegato all'ufficio informazioni della stazione di Milano. Consulta l'orario ferroviario e rispondi alle domande del compagno.

STUDENTE B

VERBI IRREGOLARI: dovere, andare.

DOVERE - Presente indicativo

A

Dove	devi deve dovete devono	scendere? cambiare? andare?

B

Devo Deve Dobbiamo Devono	scendere cambiare andare	a Pisa.

ANDARE - Imperativo

(tu) (Lei) (Voi) (Loro)	Vai/va' Vada Andate Vadano	sempre dritto. fino al semaforo. fino all'incrocio. nella via parallela a questa.

VOLOBUS GENOVA
GENOVA - MALPENSA - GENOVA

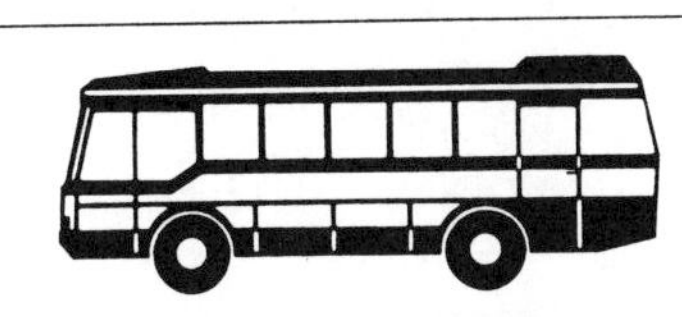

COLLEGAMENTI VELOCI DI SUPERFICIE

Partenze e arrivo Autobus: Uffici Alitalia
Aeroporto C. Colombo - Genova - Tel. 54930

Un collegamento esclusivo con autobus di lusso tra Genova-Malpensa e viceversa, per raggiungere, in tempo utile, le coincidenze con i voli Alitalia. Accettazione e carta d'imbarco direttamente presso l'Ufficio Alitalia dell'Aeroporto C. Colombo, 30' prima della partenza dell'autobus. L'autobus è dotato di aria condizionata, bar, TV. Il costo di ciascun trasferimento è di Lit. 20.000. Per ulteriori informazioni rivolgetevi al Vostro Agente di Viaggio o agli Uffici Alitalia.

VOLOBUS giornaliero AZ 1408

GENOVA - Partenza Ore 09.30
MALPENSA - Arrivo Ore 12.00
In coincidenza con i voli Alitalia per:
New York - Los Angeles - Boston - Tokyo - Budapest - Berlino - Praga

VOLOBUS giornaliero AZ 1409

MALPENSA - Partenza Ore 10.30
GENOVA - Arrivo Ore 13.00
In coincidenza con i voli Alitalia da:
New York - Chicago

Centro Turistico Studentesco e Giovanile
Via Nazionale, 66 - ROMA
Tel. 06/46791

CTS: non solo viaggi

Il compito principale che si è dato il CTS è quello di rendere possibile nella pratica i viaggi dei giovani. Però oltre a fornire aerei, treni, navi, alberghi ed altro a tariffe vantaggiose il CTS è in grado di coprire molti altri campi, come quello del turismo scolastico, dell'ecologia e dell'ambiente, dell'informazione. Se sei quindi interessato a qualcuno di questi argomenti, se vuoi provare anche a trascorrere una vacanza lavorando o trovare una sistemazione all'estero, o soltanto per avere informazioni, scrivi o telefona ad uno dei nostri uffici, cercheremo di soddisfare ogni tua necessità!

ENTE FERROVIE DELLO STATO
Sistema di informazione DIGIPLAN — Stazione di IMPERIA ONEGLIA

Orario valido : 30 Settembre 1990 - 1 Maggio 1991
IMPERIA ONEGLIA ——> PIACENZA

```
+---------------Partenza : IMPERIA ONEGLIA-----------------+   +-----------------+
|p. 11:46                  Exp   343     1ª 2ª SS          |   | 1ª £   28.600   |
|       |  14:54 a.  Cambio a    VOGHERA                    |   | 2ª £   16.800   |
|       |  15:18 p.  Dir   2035     1ª 2ª                   |   |                 |
|a. 15:52            Arrivo   : PIACENZA                    |   | Tempo= h  4:06  |
+-----------------------------------------------------------+   +-----------------+

+---------------Partenza : IMPERIA PORTO MAURIZIO----------+   +-----------------+
|p. 13:47            Dir   2717     1ª 2ª                   |   | 1ª £   28.600   |
|       |  15:37 a.  Cambio a    GENOVA PIAZZA PRINCIPE     |   | 2ª £   16.800   |
|       |  16:18 p.  Dir   2792     1ª 2ª                   |   |                 |
|a. 17:47            Arrivo   : PIACENZA                    |   | Tempo= h  4:00  |
+-----------------------------------------------------------+   +-----------------+
```

SS=Treno con carrozza self-service; 1ª=Carrozza Prima Classe; 2ª=Carrozza Seconda classe; Dir=Treno diretto; Exp=Treno espresso; Tempo=Durata del viaggio espressa in ORE:MINUTI;

Verbi

(Trasporti) affrettarsi, andare, arrivare, aspettare, costare, domandare, dovere, entrare, essere, fermarsi, pagare, perdere, partire, preferire, restare, rimanere, ritornare, salire, scendere, tornare, uscire, viaggiare.
(Istruzioni stradali) aiutare, attraversare, camminare, capire, continuare, domandare, incontrare, informare, passare, passeggiare, perdersi, potere, prendere, ringraziare, ripetere, seguire, trovarsi, volere.
(Trasporto pubblico) allacciare, assicurare, atterrare, bisognare, cambiare, chiedere, chiudere, comprare, decollare, dichiarare, fumare, imbarcare, portare, prendere, prenotare, riservare, ritardare, sbarcare, sedersi, sporgersi, stare, volare,
(Trasporto privato) controllare, forare, frenare, gonfiare, guidare, lavare, noleggiare, parcheggiare, rallentare, riparare, sorpassare.

Fraseologia essenziale

Comprendere e dare istruzioni stradali

A Scusi!
B Sì, dica!

A Dov'è ...?
B Prenda la prima a destra/sinistra.
B Continui dritto fino al ...
B Attraversi la strada.
B È lì, sulla destra/sinistra.
B È a 100 metri, sulla destra/sinistra.

A C'è .... qui vicino?
B Sì/No.

Trasporto Pubblico

A C'è un treno per ...?
A Quanto costa un biglietto per ...?
A Vorrei un biglietto di andata/andata e ritorno per...
A A che ora parte ... ?
A A che ora arriva a...?
A Da che binario parte ...?

A Scusi, è libero questo/quel posto?
B Sì, è libero./No, è occupato.

Trasporto Privato

A (Vorrei) ... lire di benzina.
A Il pieno, per favore.
A Mi controlli ..., per favore.
A Scusi! Qual è la strada per ...?

Che ora è?

A Che ora è?
B È l'una/mezzogiorno/mezzanotte.

A Che ore sono?
B Sono le ...
B Sono le due e cinque (2.05).
B Sono le tre meno cinque (2.55).

6 VACANZE

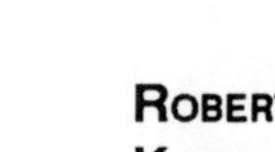

1

Roberto	Dove vai di solito in vacanza?
Kathy	Di solito vado in Italia.
Roberto	Dove andrai quest'estate?
Kathy	Resterò a Londra.

2

Carlo	Dove vai di solito in vacanza?
Maria	Di solito vado al mare.
Carlo	Dove andrai quest'anno?
Maria	Anche quest'anno andrò al mare.

3

Maria	E tu dove passi di solito le vacanze?
Carlo	Di solito vado in Umbria con i miei genitori.
Maria	E ti diverti?
Carlo	Non molto!
Maria	Dove ti piacerebbe andare?
Carlo	Mi piacerebbe restare a Cervo e andare al mare.

4

Valerio	Dove andrai in vacanza quest'estate?
Enrica	Andrò a Venezia.
Valerio	Con chi andrai?
Enrica	Andrò con i miei amici.
Valerio	Per quanto tempo resterai in vacanza?
Enrica	Per una quindicina di giorni.

5

Valerio	Cosa fai di solito durante le vacanze?
Enrica	Mah... di solito vado al mare e pratico qualche sport. E tu?
Valerio	Di giorno anch'io vado al mare e di sera vado spesso in discoteca.

6

Janie	Dove sei andato in vacanza?
Massimo	Sono andato in montagna con mio fratello. E tu?
Janie	Io sono andata in Sicilia.
Massimo	Con chi sei andata?
Janie	Sono andata con due amici inglesi.
Massimo	Ti sei divertita?
Janie	Sì, moltissimo: ho conosciuto molti italiani, ho parlato italiano, ho visitato molti musei e ho mangiato benissimo. E tu cosa hai fatto?
Massimo	Ho fatto qualche passeggiata con i miei parenti.
Janie	Ti sei divertito?
Massimo	Non molto, perché il tempo era sempre nuvoloso e pioveva spesso.

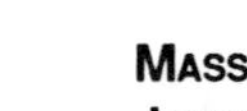

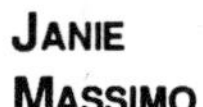

Rispondi alle seguenti domande.

1
- **a** Dove va di solito in vacanza Kathy?
- **b** Dove andrà quest'estate?

2
- **a** Dove va di solito in vacanza Maria?
- **b** Dove andrà quest'anno?

3
- **a** Dove va di solito in vacanza Carlo?
- **b** Con chi va?
- **c** Dove gli piacerebbe andare in vacanza?

4
- **a** Dove andrà in vacanza Enrica?
- **b** Con chi andrà?
- **c** Per quanto tempo resterà in vacanza?

5
- **a** Che cosa fa di solito Enrica durante le vacanze?
- **b** Che cosa fa di solito Valerio durante le vacanze?

6
- **a** Dove è andato in vacanza Massimo?
- **b** Con chi è andato?
- **c** Dove è andata in vacanza Janie?
- **d** Con chi è andata?
- **e** Si è divertita?
- **f** Che cosa ha fatto Janie durante le vacanze?
- **g** Che cosa ha fatto Massimo durante le vacanze?
- **h** Si è divertito?
- **i** Perché?

Esercizio  [10]

Completa con le preposizioni (a, in).

	.......*in*...... Africa.
Sono andato	.... Australia.
Sono andata	.... Belgio.
Vado	.... Bruxelles.
Andrò	.... Firenze.
Resterò	.......*a*....... Genova.
Mi piacerebbe andare	.... Irlanda.
	.... Italia.
	.......*in*..... Liguria.
	.... Londra.
	.... Milano.
	.......*a*....... Napoli.
	.... Parigi.
	.... Roma.
	.... Sardegna.
	.... Scozia.
	.... Sicilia.
	.... Torino.
	.... Toscana.
	.... Venezia.

⚠ Dopo il verbo, si usano le preposizioni:
- ☞ **in** davanti ai nomi di continenti, nazioni, grandi isole e regioni;
- ☞ **a** davanti ai nomi di città e piccole isole.

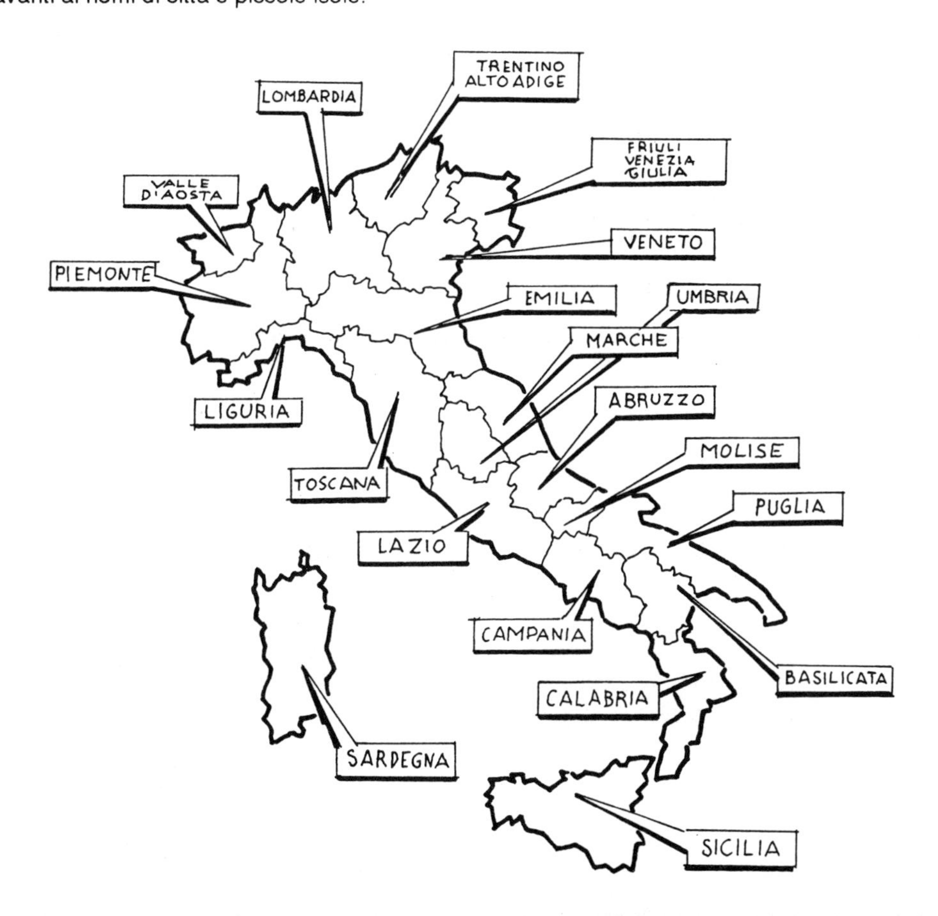

Esercizio 

Intervista cinque compagni e completa la tabella.

Esempi:

STUDENTE Dove vai di solito in vacanza?
CARLO Di solito vado in Umbria.
STUDENTE Dove sei andato l'anno scorso?
CARLO L'anno scorso sono andato in Austria.
STUDENTE Dove andrai in vacanza quest'estate?
CARLO Quest'estate andrò in Francia.
STUDENTE Con chi andrai?
CARLO Andrò con i miei genitori.

NOME	DOVE VAI DI SOLITO IN VACANZA?	DOVE SEI ANDATO/A L'ANNO SCORSO?	DOVE ANDRAI QUEST'ESTATE?	CON CHI ANDRAI?
1 Carlo	in Umbria	in Austria	in Francia	con i miei genitori
2 Enrica	a Roma	a Dublino	a Venezia	con due amici
3 Kathy	in Italia	in Italia	a Londra	da sola
4				
5				
6				
7				
8				

Esercizio 

Scrivi una breve relazione sulle vacanze dei compagni che hai intervistato.

Esempio: Carlo di solito va in vacanza in Umbria, ma l'anno scorso è andato in Austria e quest'estate andrà in Francia con i genitori.
Kathy di solito va in vacanza in Italia. Anche l'anno scorso è andata in Italia, ma quest'estate resterà a Londra, da sola.

Esercizio  [3.8]

Rispondi alle domande come negli esempi.

Esempi: Con chi vai di solito in vacanza? (amici) Con **i miei** amici.
Con chi andrai in vacanza? (zio) Con **mio** zio.

1	Con chi sei andato in vacanza l'anno scorso?	(fratello)	....
2	Con chi sei andata in vacanza due anni fa?	(genitori)	....
3	Con chi andrai in vacanza a Natale?	(cugino)	....
4	Con chi andrai in vacanza a Pasqua?	(sorella)	....
5	Con chi vai di solito in vacanza?	(migliore amico)	....
6	Con chi vai di solito in vacanza?	(migliore amica)	....
7	Con chi sei andata in discoteca?	(amiche)	....

 Fai attenzione all'uso dell'articolo davanti al possessivo [3.9].

Esercizio 5

Esercizio come il precedente.

1	Con chi andrà in vacanza Riccardo?	(sorella)	....
2	Con chi va in vacanza tuo fratello?	(amici)	....
3	Con chi andate in vacanza?	(amici)	....
4	Con chi vanno in vacanza i tuoi genitori?	(amici)	....
5	Con chi andrai in vacanza?	(sorelle)	....
6	Con chi andrà in vacanza Aldo?	(fratello)	....
7	Con chi andrete in vacanza?	(amiche)	....
8	Voi con chi siete andati in vacanza?	(cugino)	....
9	Con chi sono andate in vacanza Tina e Rita?	(amiche)	....
10	Voi con chi siete andati in vacanza?	(cugina)	....

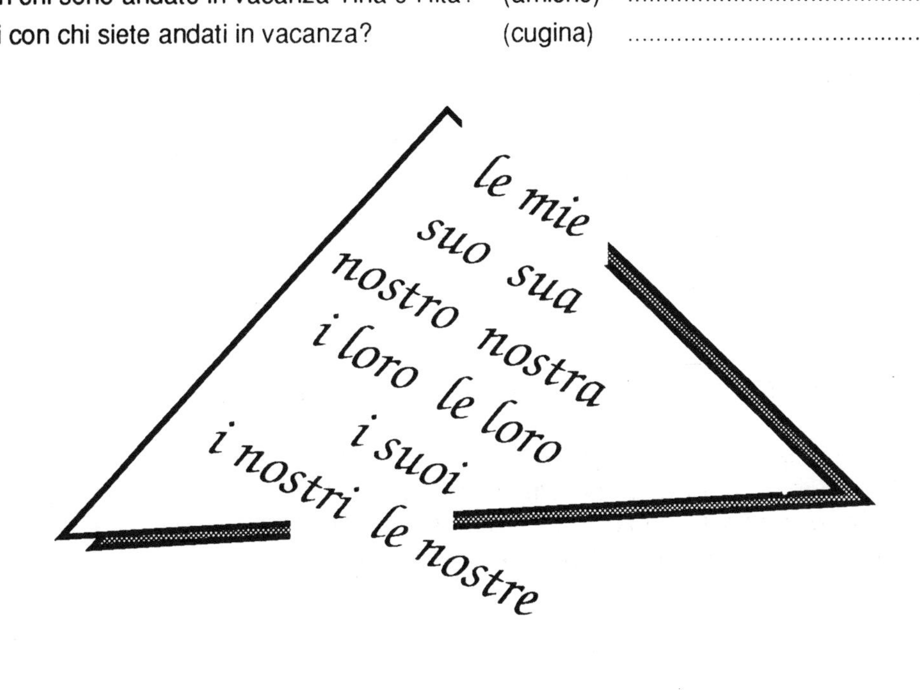

Esercizio  [7.4]

Ecco alcuni verbi che hai trovato nelle prime cinque unità: aiutandoti con il vocabolario, scrivi una frase al passato prossimo per ogni verbo.

1 ABIT**ARE** Ho abitato in Italia.
2 DORM**IRE** Ho dormito fino alle 9.00.
3 CAMMIN**ARE** Ho CAMMINATO nella giardino.
4 GIOC**ARE** Ho giocato il tennis
5 CUCIN**ARE** Ho cucinato
6 RIEMP**IRE** Ho riempito un bottiglia
7 SPARECCHI**ARE** ....
8 SALUT**ARE** Ho salutato la mia madre
9 PREFER**IRE** Ho preferito abitare a Londres
10 ASCOLT**ARE** Ho ascoltato musica classica

Esercizio  [7.4]

Fai una domanda per ogni verbo.

1 PAG**ARE** Quanto hai pagato?
2 COMPR**ARE** Che cosa hai comprato?
3 LAVOR**ARE** Con chi hai lavorato?
4 LAV**ARE** Con chi hai lavato?
5 PUL**IRE** Hai pulito la tua casa?
6 GUADAGN**ARE** Quanto hai guadagnato?
7 SEGU**IRE** Hai seguito (the man)
8 ASPETT**ARE** Con chi hai aspettato
9 VIAGGI**ARE** Con chi hai viaggiato
10 AIUT**ARE** Chi hai aiutato?

Esercizio  [7.4]

Completa con il passato prossimo.

Esempio: INCONTRARE Io ..*ho*.. ..*incontrato*.. Luisa.

1 PARLARE Peter ha parlato italiano.
2 MANGIARE (Voi) Avete mangiato bene?
3 INCONTRARE Susan ha incontrato i miei genitori.
4 AFFITTARE (Noi) abbiamo affittato un appartamento.
5 COMPRARE Mio padre ha comprato una casa in Italia.
6 CERCARE I miei amici hanno cercato un campeggio.
7 DIMENTICARE (Io) ho dimenticato gli occhiali in albergo.
8 GIOCARE Io e Marina abbiamo giocato a tennis.
9 VISITARE Il signor Welsh ha visitato molti musei.
10 PRATICARE (Tu) hai praticato qualche sport?

Esercizio  [7.4]

Esercizio come il precedente.

1	PREFER**IRE**	Il professore .... restare a casa.
2	SAP**ERE**	Vanessa non .... rispondere.
3	DORM**IRE**	(Io) .... fino alle nove.
4	DOV**ERE**	(Noi) .... prenotare.
5	VOL**ERE**	(Loro) .... visitare il museo.

Esercizio  [7.4]

Completa con il passato prossimo facendo attenzione alla concordanza.

Esempio: AND**ARE** Loro ....*sono*...... ....*andati*............... in macchina.

1	ARRIV**ARE**	Io e Aldo .... alle sette.
2	PART**IRE**	Io .... alle tre.
3	USC**IRE**	Grazia .... con Cinzia.
4	AND**ARE**	Adriano .... in Inghilterra.
5	VEN**IRE**	Kim e Giuliana .... al mare.
6	SAL**IRE**	Valentino e Tommaso .... con l'ascensore.

 Il participio passato di **venire** è **venuto/a/i/e**.

Esercizio  [7.5]

Completa con il passato prossimo.

1	SCRIV**ERE**	(Io) .... una cartolina.
2	LEGG**ERE**	(Voi) .... il giornale?
3	F**ARE**	(Tu) che cosa .... ieri?
4	D**IRE**	Kim .... che andrà in Italia.
5	PREND**ERE**	(Loro) .... il treno delle cinque.
6	CHIED**ERE**	(Tu) .... dov'è il museo?
7	RISPOND**ERE**	(Lui) che cosa ....?

Esercizio  [7.4]

Scrivi la cronaca della tua giornata di ieri.

Esempio: Ieri mi sono svegliato alle 7.20, mi sono alzato e mi sono lavato. Poi ho fatto colazione e alle 8.00 sono uscito. Sono andato ...

VERBI UTILI

Ho		
	mangiato	....
	bevuto	....
	pranzato	....
	cenato	....
	aiutato	....
	avuto	....
	apparecchiato	....
	sparecchiato	....
	lavato	....
	guardato	....
	ascoltato	....
	studiato	....
	finito	....
	incontrato	....
	visitato	....
	telefonato	....
	scritto	....
	letto	....
	fatto colazione	....
	fatto la spesa	....
	fatto i compiti	....

Sono		
	stato/a	....
	uscito/a	....
	andato/a	....
	partito/a	....
	arrivato/a	....
	entrato/a	....
	tornato/a	....
	rimasto/a	....

Mi sono		
	svegliato/a	....
	alzato/a	....
	lavato/a	....
	divertito/a	....
	annoiato/a	....

CONNETTIVI

e	....	quindi	....
poi	....	perciò	....
dopo	....	invece	....
inoltre	....	...	
anche	....		
...		in altri termini	....
ma	....	in breve	....
tuttavia	....	...	
comunque	....		
...		infine	....
per esempio	....	per riassumere	....
cioè	....	..	
come	....		
...			

Esercizio 

Completa la tabella.

	IERI	OGGI	DOMANI
1	Ho studiato tedesco.	Studio italiano.	Studierò francese.
2	.... un museo.	Visito la città.	Visiterò la cattedrale.
3	.... al cinema.	Vado a teatro.	.... in Italia.
4	.... a mio zio.	.... a mia zia.	Telefonerò a Matteo.
5	Ho scritto una cartolina.	Scrivo una lettera.	.... ai miei genitori.
6	Ho pitturato la cucina.	.... il bagno.	Pitturerò il corridoio.

Esercizio 

Scrivi cinque frasi (al passato o al presente o al futuro) con riferimento ai seguenti argomenti: i trasporti, la casa e le vacanze.

Esempio: Il treno per Napoli è partito.

1 ....
2 ....
3 ....
4 ....
5 ....

Esercizio 

Lo studente A intervista lo studente B e scrive le risposte.

DOMANDE

1 A che ora hai cenato ieri? ....
2 Che cosa hai mangiato? ....
3 Che cosa hai bevuto? ....
4 Hai lavato i piatti? ....
5 Hai preparato da mangiare? ....
6 Hai apparecchiato la tavola? ....
7 Hai guardato la televisione? ....
8 Che cosa hai studiato? ....
9 A che ora sei andato/a a dormire?

Esempi:

Carlo: A che ora hai cenato ieri sera?
Maria: Ho cenato alle otto.
Carlo: A che ora sei andata a dormire?
Maria: Sono andata a dormire a mezzanotte.

Scritto: Maria ha cenato alle otto ieri sera, è andata a dormire a mezzanotte,...

Esercizio  [7.2]

Completa con l'imperfetto.

Esempio: Quando eravamo in vacanza, Rita ....*dormiva*....molto. DORMIRE

1	Durante le vacanze noi ...ANDAVAMO... tutte le sere in discoteca.	ANDARE
2	Mentre io ...VISITAVO... il museo, Paul ...SCRIVEVA... le cartoline.	VISITARE - SCRIVERE
3	Quando era a Londra, mia sorella ...PASSEGGIAVA... spesso nei parchi.	PASSEGGIARE
4	Quando (io) ...VIVEVO... in Italia, (io) ...AVEVO... molti amici.	VIVERE - AVERE
5	Noi ...GIOCAVAMO... tutti i giorni a tennis.	GIOCARE
6	...PIOVEVA... sempre.	PIOVERE
7	I miei amici ...VOLEVANO... andare tutti i giorni al mare.	VOLERE
8	Alle due di notte Tommaso ...STUDIAVA... ancora.	STUDIARE
9	Mentre (noi)...GUARDAVAMO... la televisione, è arrivata Giuliana.	GUARDARE
10	Mentre (noi) ...ASPETTAVAMO... Roberto, io ...ASCOLTAVO... la radio e Paola ...LEGGEVA... un libro.	ASPETTARE - ASCOLTARE - LEGGERE

NOTA

Alcuni verbi irregolari molto comuni sono:

ESSERE	ero, eri, era, eravamo, eravate, erano;
DIRE	dicevo, dicevi, diceva, dicevamo, dicevate, dicevano;
FARE	facevo, facevi, faceva, facevamo, facevate, facevano.

Esercizio 17 [1.2]

Completa con gli articoli, facendo attenzione al genere dei nomi.

1 È .... foto degli amici di Vanessa.
2 C'è .... neve.
3 .... Pro Loco è aperta anche la domenica.
4 Partirà .... week-end prossimo.
5 .... mare è mosso.
6 .... cinema Centrale è chiuso.
7 Ecco .... dépliant della città.
8 A Riccardo piace fare .... turista.
9 A Sarah piace fare .... turista.
10 .... clima in Italia è eccezionale.

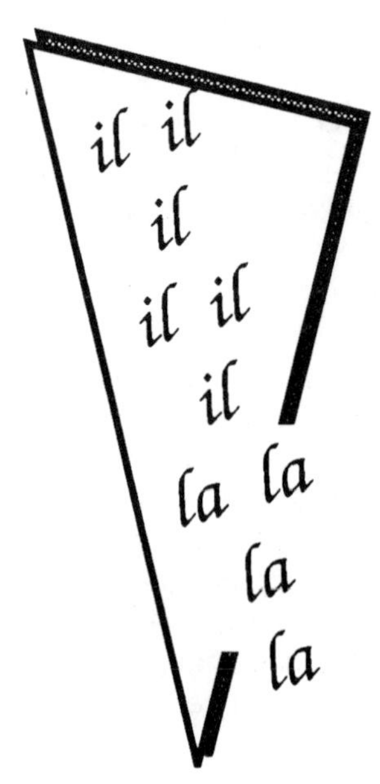

Esercizio 

Completa la tabella con l'aiuto di una cartina d'Italia.

Adda,	Appennini	Dolomiti	Ionio	Sardegna	Tirreno
Adige,	Arno	Elba	Ligure	Sicilia	Trasimeno
Adriatico	Capri	Etna	Maggiore	Stromboli	Vesuvio
Alpi	Como	Garda	Monte Bianco	Tevere	Vulcano

ISOLE	LAGHI	FIUMI	VULCANI	MARI	MONTAGNE
		Adda			
Elba					
			Stromboli		Dolomiti
	Trasimeno			Ionio	

Esercizio 

Fai le domande.

1 **A** ....? **B** Di solito vado in vacanza in Italia.
2 **A** ....? **B** A Natale andrò a Dublino.
3 **A** ....? **B** A Pasqua andremo a Edimburgo.
4 **A** ....? **B** I miei genitori andranno in Francia.
5 **A** ....? **B** L'anno scorso sono andata a Londra.
6 **A** ....? **B** Sono andato con i miei amici.
7 **A** ....? **B** Siamo andati in macchina.
8 **A** ....? **B** Mi piacerebbe andare in Sicilia.
9 **A** ....? **B** Il tempo era bello.
10 **A** ....? **B** Sì, mi sono divertita moltissimo.

VERBI REGOLARI: parlare, capire, ripetere.

PASSATO PROSSIMO

PARLARE

A

Hai Ha Avete Hanno	parlato parlato parlato parlato	inglese?

B

No,	ho ha abbiamo hanno	parlato parlato parlato parlato	italiano.

CAPIRE

Hai Ha Avete Hanno	capito capito capito capito	tutto?

Sì,	ho ha abbiamo hanno	capito capito capito capito	quasi tutto.

RIPETERE

Quale lezione	hai ha avete hanno	ripetuto? ripetuto? ripetuto? ripetuto?

Ho Ha Abbiamo Hanno	ripetuto ripetuto ripetuto ripetuto	la prima lezione.

Il passato prossimo si forma di solito con: **ho**, **hai**, **ha**, **abbiamo**, **avete**, **hanno** e il participio passato (parl-ato, ripet-uto, cap-ito).

ANDARE

Con chi	sei è siete sono	andato/a? andato/a? andati/e? andati/e?

Sono È Siamo Sono	andato/a andato/a andati/e andati/e	con Tommaso.

Con alcuni verbi (principalmente i verbi di movimento) il passato prossimo si forma con: **sono, sei, è, siamo, siete, sono** e il participio passato (-ato/a/i/e, -uto/a/i/e, -ito/a/i/e).

PRENDITI LA DOLCEVITA

DOLCEVITA è la carta che dà diritto a te e la tua famiglia, in tutte le località della Riviera dell' Emila Romagna, alle seguenti agevolazioni, nella stagione estiva 1990:

- stabilimento balneare il 7° giorno non paghi;
- sconto del 25% per l'ingresso ai parchi d'acqua e in piscina;
- sconto del 25% su tutti i giochi Luna Park;
- sconto del 25% nelle sale giochi;
- sconto del 10% nelle pizzerie, nei ristoranti, nelle gelaterie;
- un giorno gratuito ogni dodici in albergo, con prenotazione almeno 20 giorni prima (sospensione dal 4/8 al 18/8);
- nei campeggi: un giorno gratuito ogni 7 di permanenza, 3 giorni gratuiti ogni 14, 5 giorni gratuiti ogni 21;
- sconto del 10% sui prezzi di catalogo, per l'affitto di appartamenti e case tramite agenzie immobiliari;
- sconto del 10% su ogni acquisto nei negozi;

Tour della Sicilia

Partenze: **27/3; 18/5; 22/6;**

GIORNI **8** 

1° GIORNO – Ritrovo dei Signori partecipanti e partenza via autostrada alla volta di Tivoli. Sosta per il pranzo in Ristorante. Pomeriggio proseguimento per la Calabria. Sistemazione in Hotel, cena e pernottamento.
2° GIORNO – Prima colazione e partenza per Reggio Calabria. Imbarco a Villa S. Giovanni e proseguimento per Acitrezza. Pranzo in Ristorante. Pomeriggio escursione all'Etna. Al termine rientro in Hotel, cena e pernottamento.
3° GIORNO – Pensione completa in Hotel. In mattinata escursione a Taormina, caratteristica città di aspetto medioevale, importantissima stazione climatica di fama mondiale. Nel pomeriggio escursione a Siracusa con guida, stazione turistica e centro archeologico tra i maggiori della civiltà greca.
4° GIORNO – Prima colazione e partenza per Agrigento con sosta per visita a Piazza Armerina. Sistemazione in Hotel, pranzo. Pomeriggio visita con guida alla Valle dei Templi. Al termine rientro in Hotel per la cena ed il pernottamento.
5° GIORNO – Prima colazione e partenza per Selinunte, centro archeologico tra i più famosi dell'isola. Pranzo in Ristorante. Pomeriggio proseguimento per Palermo. Sistemazione in Hotel, cena e pernottamento.
6° GIORNO – Pensione completa in Hotel. Intera giornata dedicata alla visita della città con guida. Si potranno ammirare la caratteristica Chiesa della Martorana, il palazzo dei Normanni, la Cattedrale, il Teatro Massimo e il Parco della Favorita.
7° GIORNO – Prima colazione e partenza per Messina con pranzo in Ristorante a Marina di Patti. Imbarco e proseguimento del viaggio via autostrada per Cosenza. Sistemazione in Hotel, cena e pernottamento.
8° GIORNO – Dopo la prima colazione partenza per Ceprano. Sosta per il pranzo in Ristorante. Al termine proseguimento del viaggio di ritorno con arrivo in serata.

Quota di partecipazione
L. 930.000

La quota comprende: Viaggio in pullman Gran Turismo; sistemazione in Hotel di 2ª cat. in camere tutte con servizi; trattamento di pensione completa; pasti in Ristorante; traghetto Villa S. Giovanni/Messina/Villa S. Giovanni; visite ed escursioni, servizio di guida dove specificato; assistenza di un nostro accompagnatore per tutta la durata del viaggio.
La quota non comprende: Ingressi; bevande; mance e tutto quanto non indicato in programma.
Supplemento camera singola: L. 200.000
Supplemento partenza del 27/3 L. 30.000

Verbi

abbronzarsi, affittare, amare, andare, andarsene, ballare, campeggiare, cercare, comprare, dimenticare, domandare, giocare a, informarsi, interessarsi, pattinare, piacere, preferire, ricordarsi, sciare, splendere, trascorrere, trovarsi, visitare.

Fraseologia essenziale

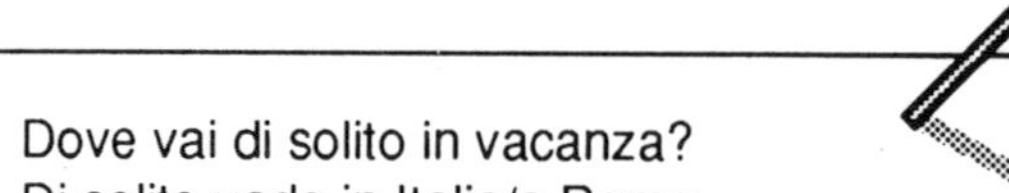

A Dove vai di solito in vacanza?
B Di solito vado in Italia/a Roma.

A Dove andrai in vacanza?
B Andrò in/a ...

A Per quanto tempo resterai in vacanza?
B Per ...

A Dove ti piacerebbe andare in vacanza?
B Mi piacerebbe andare in/a ...

A Dove sei andato/andata in vacanza?
B Sono andato/andata in/a ...

A Con chi sei andato/andata?
B Sono andato/andata con ...

A Che cosa hai fatto?

A Ti sei divertito/divertita?

ALBERGHI E CAMPEGGI

In albergo

1

SIGNOR MARTINI	Buongiorno, sono il signor Martini.
IMPIEGATO	Buongiorno. Desidera?
SIGNOR MARTINI	Ho prenotato una camera matrimoniale.
IMPIEGATO	Vediamo... sì, la camera numero 7, al primo piano.

2

SILVIA	Buongiorno!
IMPIEGATO	Buongiorno!
SILVIA	Avete una camera singola?
IMPIEGATO	Per quanto tempo?
SILVIA	Per due settimane.
IMPIEGATO	Abbiamo una camera con servizi al secondo piano e una più piccola, senza servizi, al primo piano.
SILVIA	Qual è il prezzo?
IMPIEGATO	Quarantamila lire la camera senza servizi e sessantamila lire la camera con servizi.

3

SILVIA	È compresa la prima colazione?
IMPIEGATO	Sì, è compresa nel prezzo.
SILVIA	Potrei vedere la camera al primo piano?
IMPIEGATO	Sì, certamente.
SILVIA	È troppo piccola, preferisco quella con i servizi.

4

IMPIEGATO	Ha un documento, per favore?
SILVIA	Ho la carta d'identità.
IMPIEGATO	Grazie. Ecco la chiave.
SILVIA	A che ora servite la prima colazione?
IMPIEGATO	Dalle sette alle nove.
SILVIA	Grazie.

In campeggio

5

ROBERTO	C'è posto per una tenda?
IMPIEGATA	Per quante persone?
ROBERTO	Siamo in quattro.
IMPIEGATA	Sì, è libera la piazzuola numero cinque.
ROBERTO	Qual è il prezzo?
IMPIEGATA	Diecimilaottocento lire per una notte.

NOTA: L'impiegato che riceve i clienti in arrivo si chiama generalmente "receptionist" o "segretario".

Rispondi alle seguenti domande.

1
- **a** Che cosa desidera il signor Martini?
- **b** Dove si trova la camera numero 7?

2
- **a** Che cosa chiede Silvia?
- **b** Per quanto tempo?
- **c** Dove si trova la camera con servizi?
- **d** Qual è il prezzo della camera senza servizi?
- **e** Qual è il prezzo della camera con servizi?

3
- **a** Che cosa è compreso nel prezzo?
- **b** Com'è la camera senza servizi?
- **c** Quale camera preferisce Silvia?

4
- **a** Che documento presenta Silvia?
- **b** Che cosa dà l'impiegato a Silvia?
- **c** A che ora servono la prima colazione?

5
- **a** Che cosa desidera Roberto?
- **b** Per quante persone?
- **c** Quale piazzuola è libera?
- **d** Qual è il prezzo per una notte?

Esercizio  [7.4] [7.5]

Rispondi alle domande come nell'esempio.

Esempio: Quando hai prenotato? (una settimana fa) - Ho prenotato una settimana fa.

1 Quando siete arrivati? (ieri)

....

2 Quando avete telefonato? (ieri sera)

....

3 Come hanno pagato i signori Vico? (con un assegno)

....

4 Chi ha risposto al telefono? (il direttore)

....

5 Quando ha telefonato il signor Giovi? (ieri mattina)

....

6 Dove hai parcheggiato la macchina? (davanti all'albergo)

....

7 A che ora avete fatto colazione? (alle 7.30)

....

8 Quando sei andata in Italia? (due settimane fa)

....

9 Chi ha chiesto il conto? (la signora Berio)

....

10 Quanto avete pagato? (150.000 lire)

....

Esercizio  [7.4] [7.5]

Rispondi alle domande.

Esempi: Ha telefonato il signor Ferri? (appena) Sì, ha **appena** telefonato.
Sei già andato in Italia? (mai) No, non sono **mai** andato in Italia.

1	Hai prenotato?	(già)	Sì, ...
2	Avete pagato?	(già)	Sì, ...
3	Sono arrivati i signori Guidotti?	(appena)	Sì, ...
4	Avete fatto colazione?	(già)	Sì, ...
5	È uscita la signora Bozzi?	(appena)	Sì, ...
6	È arrivato il taxi?	(ancora)	No, non ....
7	Hanno pranzato i tuoi amici?	(ancora)	No, non ....
8	Siete andati in un campeggio?	(mai)	No, non ....
9	Hai trovato le chiavi?	(più)	No, non ....
10	Avete visto la camera?	(ancora)	No, non ....

Esercizio  [5.4]

Trasforma come nell'esempio.

Esempio: Mi potrebbe preparare il conto? Potrebbe prepar**armi** il conto?

1	Mi potrebbe svegliare alle sei?	....
2	Mi potrebbe chiamare alle sette?	....
3	Mi potrebbe dire dov'è l'ascensore?	....
4	Mi potrebbe aiutare?	....
5	Mi potrebbe scrivere l'indirizzo dell'albergo?	....

Esercizio 

Riscrivi le frasi con il contrario delle parole sottolineate.

Esempi: Abbiamo una camera con bagno.
Abbiamo una camera senza bagno.

1	Questa pensione è molto economica.	....
2	Io sono arrivato alle dieci.	....
3	Questo letto è molto comodo.	....
4	La mia camera è molto grande.	....
5	Il ristorante è chiuso.	....
6	C'è molto rumore.	....
7	L'uscita è laggiù.	....
8	Il bagno è sporco.	....
9	Questa camera è libera.	....
10	Fa molto freddo.	....

Esercizio  [2]

Completa con gli articoli.

1 Potrebbe darmi .... chiave della camera numero sette?
2 A che ora servite .... colazione?
3 Ho lasciato .... bagagli in macchina.
4 Vorrei parlare con .... direttore.
5 Dov'è............. bar?
6 Qual è il prezzo per .... roulotte?
7 Si vede .... mare?
8 Dov'è .... ascensore?
9 .... taxi sarà qui tra cinque minuti.
10 Quant'è .... pensione completa?

Esercizio  [10] [10.1]

Completa con le preposizioni.

1 Vorrei una camera .... bagno.
2 Avete una camera .... primo piano?
3 Avete una camera .... vista sul mare?
4 Mi dia la chiave .... camera numero 10.
5 C'è un ristorante vicino .... albergo?
6 Dov'è il campo .... tennis?
7 Potrebbe svegliarmi .... 6.30?
8 C'è posta .... me?
9 Qual è il prezzo .... una notte?
10 Ci sono riduzioni .... bambini?

da
con
della
con
alle al
all'
per per per

Esercizio 

Collega le frasi della colonna A con le frasi della colonna B.

	A		B
1 c	Avete una camera singola?	a	No, non sono compresi nel prezzo.
2	Qual è il prezzo per una notte?	b	Ho il passaporto.
3	Sono compresi i pasti?	c	Per quante notti?
4	Questa camera è troppo piccola.	d	Cinquantamila lire.
5	Ha un documento, per favore?	e	Desidera vedere un'altra camera?

Esercizio 

Fai le domande.

1 ....? Sono arrivato ieri.
2 ....? Ho pagato con un assegno.
3 ....? Ho telefonato al signor Massari.
4 ....? Ho parcheggiato davanti all'albergo.
5 ....? Ho prenotato una settimana fa.
6 ....? Ho pagato 66.000 lire.
7 ....? Ho scelto la camera con vista sul mare.
8 ....? Ha telefonato Silvia.

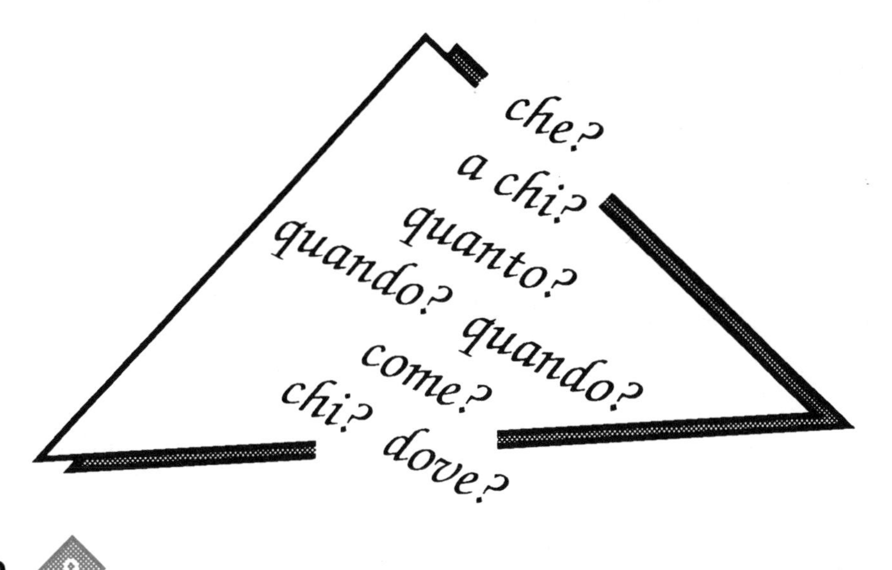

Esercizio 

Completa i dialoghi.

In albergo

I **Cliente** **Impiegato**

....! Buongiorno!
....? Per quanto tempo?
.... Abbiamo una camera con servizi, al primo piano.
....? Sessantamila lire per una notte.
....? Sì, la prima colazione è compresa nel prezzo.

II

Ha un documento, per favore?
.... Grazie. Ecco la chiave.
....? Serviamo la prima colazione dalle 7 alle 9.

In alcuni alberghi, la colazione, il pranzo e la cena vengono rispettivamente chiamati, prima colazione, colazione e pranzo.

Esercizio (in coppia) 

Lo studente A è il turista e rivolge le domande allo studente B che è il direttore dell'albergo.

STUDENTE A

Vuoi andare in vacanza a San Remo con i tuoi genitori.
Telefona all'hotel "SMERALDO" .

a Chiedi se hanno una camera singola e una camera matrimoniale. ....
b Chiedi quanto costa la mezza pensione. ...., ...
c Chiedi quanto costa la pensione completa. ...., ...
d Prenota.

STUDENTE B

Rispondi alle domande del compagno, usando il dépliant.

"SMERALDO"
HOTEL - RISTORANTE
Corso Inglesi 30
18100 SAN REMO
LIGURIA - ITALIA
* * * *

Tel. 0184/694044/6/7 - Telex 593456 - Fax 0184/694043

TARIFFE

	Camera	Mezza pensione	Pensione completa
Singola	Lit. 69.000	Lit. 109.000	Lit. 139.000
Doppia o Matrimoniale	Lit. 123.000	Lit. 110.000 per persona	Lit. 140.000 per persona

Piccola colazione.......... Lit. 15.000
Colazione........................ Lit. 35.000
Pranzo .... Lit. 35.000
Tasse e servizi inclusi
55 camere

Esercizio 

Scrivi una lettera per confermare la prenotazione fatta nell'esercizio precedente.

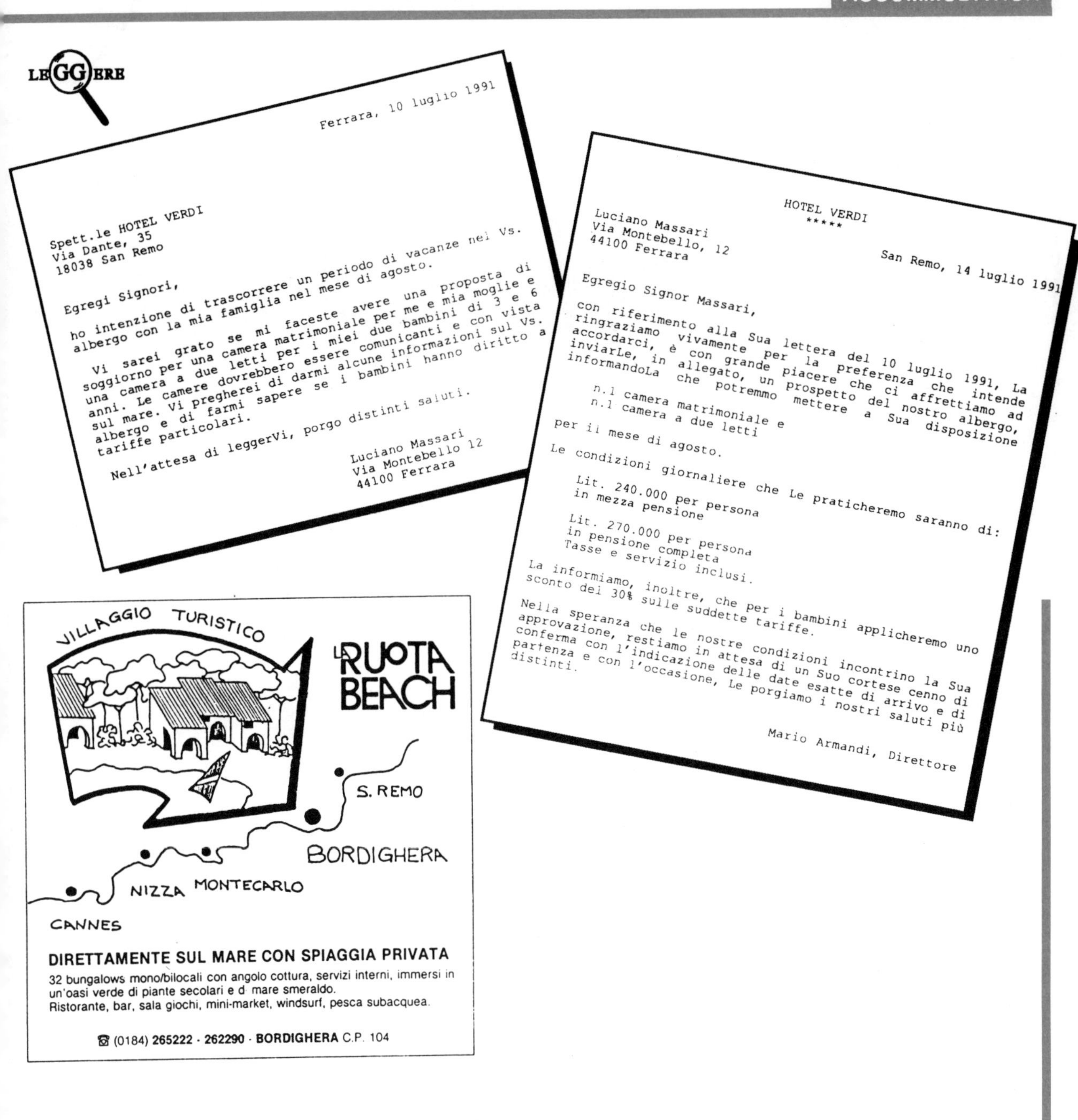

Ferrara, 10 luglio 1991

Spett.le HOTEL VERDI
Via Dante, 35
18038 San Remo

Egregi Signori,

ho intenzione di trascorrere un periodo di vacanze nel Vs. albergo con la mia famiglia nel mese di agosto.

Vi sarei grato se mi faceste avere una proposta di soggiorno per una camera matrimoniale per me e mia moglie e una camera a due letti per i miei due bambini di 3 e 6 anni. Le camere dovrebbero essere comunicanti e con vista sul mare. Vi pregherei di darmi alcune informazioni sul Vs. albergo e di farmi sapere se i bambini hanno diritto a tariffe particolari.

Nell'attesa di leggerVi, porgo distinti saluti.

Luciano Massari
Via Montebello 12
44100 Ferrara

HOTEL VERDI
*****

Luciano Massari
Via Montebello, 12
44100 Ferrara

San Remo, 14 luglio 1991

Egregio Signor Massari,

con riferimento alla Sua lettera del 10 luglio 1991, La ringraziamo vivamente per la preferenza che intende accordarci, è con grande piacere che ci affrettiamo ad inviarLe, in allegato, un prospetto del nostro albergo, informandoLa che potremmo mettere a Sua disposizione

n.1 camera matrimoniale e
n.1 camera a due letti

per il mese di agosto.

Le condizioni giornaliere che Le praticheremo saranno di:

Lit. 240.000 per persona
in mezza pensione

Lit. 270.000 per persona
in pensione completa
Tasse e servizio inclusi.

La informiamo, inoltre, che per i bambini applicheremo uno sconto del 30% sulle suddette tariffe.

Nella speranza che le nostre condizioni incontrino la Sua approvazione, restiamo in attesa di un Suo cortese cenno di conferma con l'indicazione delle date esatte di arrivo e di partenza e con l'occasione, Le porgiamo i nostri saluti più distinti.

Mario Armandi, Direttore

L'Ostello per la gioventù

L'Ostello per la Gioventù A.I.G. «Piero Rotta» è in Viale Salmoiraghi 2, tel. **367095**, nelle adiacenze di Piazzale Lotto, in una delle zone più verdi della periferia milanese e a due passi dal «Lido di Milano». È aperto a tutti coloro che sono aderenti alla I.Y.H.F. con regolare tessera di iscrizione annuale.
Dispone di 230 posti letto per maschi e di 150 posti letto per femmine in camerette a tre letti biposto e di sala soggiorno.
Gli stranieri possono iscriversi alla I.Y.H.F. presso l'Ostello stesso, qualora non fossero in possesso della tessera associativa.
Dalle 9 alle 17 e dalle 24 alle 7 del mattino l'Ostello è chiuso. Ingresso e prenotazione posto letto dalle 17 alle 24. Dalle 7 alle 9 ritiro bagagli ed uscita degli ospiti.
La prima colazione, inclusa nel prezzo del pernottamento; è servita dalle 7 e 15 alle 8 e 30. I reparti notte sono tassativamente chiusi alle ore 9.
È consentita la sosta per 3 giorni o comunque in base alle norme internazionali della I.Y.H.F. rinnovabile, su richiesta scritta, a discrezione della Direzione dell'Ostello.
I gruppi dovranno riservare i posti letto con un anticipo di almeno un mese.
L'Ostello è raggiungibile con la filovia n. 91 dalla Stazione Centrale e dal centro della città con la linea 1 del Metrò direzione Quartiere S. Leonardo.

Campeggi in provincia di Milano

Autodromo di Monza (**) - (Parco della Villa Reale) - tel. 039/387771 - aperto da aprile a settembre - accessibile ad auto, roulottes, pullman - spaccio - distributore benzina - gas liquido - parco giochi per bambini - i cani non sono ammessi.
Il Bareggino - Bareggio - tel. 9014417 - aperto tutto l'anno - accessibile alle auto, roulottes, pullman - spaccio - locale di ritrovo, parco giochi per bambini - ammessi cani al guinzaglio - si affittano tende o roulottes.
AGIP-Metanopoli - S. Donato Milanese - tel. 5272159 - aperto tutto - l'anno accessibile alle auto, roulottes, pullman - spaccio - distributore di benzina - gas liquido.

- **PRONTI...VIA! THE ITALIAN HANDBOOK**

Tabelle sostitutive:	
• Alberghi	p. 80
• Ostelli e campeggi	p. 87
La corrispondenza	p. 76

- **NEW STYLE ITALIAN GRAMMAR**
Strutture grammaticali

Articoli [2]	Esercizio 5
Passato prossimo [7.4][7.5]	Esercizi 1, 2, 8
Preposizioni [10][10.1]	Esercizio 6
Uso dei pronomi con l'infinito [5.4]	Esercizio 3

Vocabolario - Alberghi e campeggi

Albergo	p. 68
Ostello	p. 69
Campeggio	p. 70

Verbi

accettare, affittare, aiutare, apprezzare, arrivare, campeggiare, cercare, chiamare, chiudere, costare, dormire, lamentarsi, lavare, mandare, pagare, partire, passare, portare, potere, pranzare, prenotare, preparare, ringraziare, riservare, rispondere, scrivere, servire, svegliare, trovare, trovarsi, volere.

Fraseologia essenziale

A Ho prenotato una camera ...
A Avete una camera singola/doppia?
A Qual è il prezzo?
A Dal ... al ...
A Con/senza servizi.
A Questa camera è troppo piccola/rumorosa ...
A Mi dia la chiave della camera numero ..., per favore.
A A che ora servite la prima colazione?
A Potrebbe prepararmi il conto, per favore?

CIBI E BEVANDE

Mangiare e bere

1

ROBERTO	Ti piace la cucina italiana?
JANIE	Sì, moltissimo!
ROBERTO	E qual è il tuo piatto preferito?
JANIE	Gli spaghetti al pesto.
ROBERTO	Li mangi spesso?
JANIE	Almeno una volta al mese.

2

MARIA	A che ora fai colazione?
CARLO	Di solito faccio colazione alle sette e un quarto.
MARIA	Dove fai colazione?
CARLO	A casa, con i miei genitori.
MARIA	Che cosa mangi?
CARLO	Caffellatte e biscotti.

Al telefono

3

SIG. MARTINI	Pronto, Ristorante "Noce"?
CAMERIERE	Sì, dica!
SIG. MARTINI	Vorrei prenotare un tavolo per due persone.
CAMERIERE	Per che ora?
SIG. MARTINI	Per le otto.
CAMERIERE	Va bene. Qual è il Suo nome?
SIG. MARTINI	Martini.
CAMRERIERE	D'accordo, arrivederla.

Al bar

4

VALERIO	Cameriera!
CAMERIERA	Prego! Desidera?
VALERIO	Vorrei un cappuccino e una brioche.
CAMERIERA	Subito, signore!
VALERIO	Quant'è?
CAMERIERA	Sono duemilatrecento lire.

Al ristorante

5

CAMERIERE	Buongiorno! Desidera?
SILVIA	Allora, come antipasto vorrei dell'insalata russa.
CAMERIERE	E come primo piatto?
SILVIA	Come primo vorrei delle tagliatelle al pomodoro.
CAMERIERE	E da bere che cosa desidera?
SILVIA	Da bere vorrei dell'acqua minerale.

6

SILVIA	Cameriere!
CAMERIERE	Prego! Desidera?
SILVIA	Di secondo che cosa mi consiglia?
CAMERIERE	Le consiglio la parmigiana.
SILVIA	Che cos'è?
CAMERIERE	È un piatto a base di melanzane, con mozzarella e sugo di pomodoro.
SILVIA	Va bene, prendo la parmigiana con contorno di patate fritte.

ooo

7

SILVIA	Avete del gelato al limone?
CAMERIERE	Mi dispiace, l'abbiamo finito. Abbiamo del gelato alla fragola, al cioccolato, al pistacchio e alla vaniglia.
SILVIA	Mi porti un gelato al cioccolato e alla vaniglia, per favore.

ooo

8

SILVIA	Cameriere?
CAMERIERE	Desidera?
SILVIA	Il conto, per favore.
CAMERIERE	Subito, signora.
SILVIA	Il servizio è incluso?
CAMERIERE	Sì, è tutto compreso.

A casa

9

ENRICA	Ho molta fame oggi. Che cosa c'è da mangiare?
PAOLA	Ci sono gli spaghetti alle vongole, la frittura di pesce e l'insalata mista...Buon appetito!
ENRICA	Buon appetito!... Mi passi il vino bianco?
PAOLA	Eccolo. Vuoi ancora un po' di sugo?
ENRICA	No, grazie!... Questi spaghetti sono molto buoni!

Rispondi alle seguenti domande.

Mangiare e bere

1
- **a** Qual è il piatto preferito di Janie?
- **b** Quante volte al mese lo mangia?

2
- **a** A che ora fa colazione Carlo?
- **b** Dove fa colazione?
- **c** Con chi fa colazione?
- **d** Che cosa prende a colazione?

Al telefono

3
- **a** Che cosa desidera il signor Martini?
- **b** Per che ora?

Al bar

4
- **a** Che cosa ordina Valerio?
- **b** Quanto paga?

Al ristorante

5
- **a** Che antipasto chiede Silvia?
- **b** Che cosa ordina come primo piatto?
- **c** Che cosa desidera da bere?

6
- **a** Che cosa consiglia il cameriere?
- **b** Quali sono gli ingredienti di questo piatto?
- **c** Che cosa prende Silvia di secondo?
- **d** Che contorno desidera Silvia?

7
- **a** Che gelato desidera Silvia?
- **b** Che gelati hanno in questo ristorante?
- **c** Che gelato ordina Silvia?

8
- **a** Che cosa chiede Silvia?
- **b** Il servizio è incluso?

A casa

9
- **a** Che cosa chiede Enrica a Paola?
- **b** Che cosa c'è come primo?
- **c** Che cosa c'è come secondo?
- **d** Che cosa pensa Enrica del primo piatto?

Esercizio (in coppia) 

1 **Completate con gli articoli.**

2 **Lo studente A intervista il compagno e completa la tabella, segnando con una X le risposte.**

TABELLA

		Sì, molto	Abbastanza	Non molto	No
Ti piace	...il... formaggio?	✓			
	...la... frutta?	✓			
	...la... verdura?	✓			
	...la... carne?	✓			
	...il... pesce?			✓	
	...il... riso?		✓		
	...il... minestrone?			✓	
	...la... pizza?		✓		
	...la... birra?		✓		
	...il... cappuccino?		✓		
	...il... caffè?	✓		✓	
	...il... latte?	✓			
	...il... tè?	✓			
	...il... vino?		✓		
	...il... gelato?				
Ti piacciono	...i... dolci?			✓	
	...le... patate fritte?			✓	
	...i... ravioli?			✓	
	...le... lasagne?		✓		
	...i... cannelloni?	✓			✓
	...i... spaghetti?		✓		
	...le... tagliatelle?				

Non confondere **l'uva** con **le uova** e **il pesce** con **le pesche**:
- Ti piace l'uva (grapes)? • Ti piacciono le uova (eggs)?
- Ti piace il pesce (fish)? • Ti piacciono le pesche (peaches)?

Esercizio (in coppia)  [5.2]

Inventa 4 dialoghi, usando i pronomi (lo, la, li, le).

Esempi:

A Ti piace il formaggio?	→	**B** Sì, abbastanza.
A Lo mangi spesso?	→	**B** No, una volta alla settimana.
A Ti piacciono le patate fritte?	→	**B** Sì, moltissimo.
A Le mangi spesso?	→	**B** Sì, due volte alla settimana.

NOTA Per gli avverbi di frequenza, vedi anche pagina 127

Esercizio (in coppia) 

Lo studente A intervista il compagno e sottolinea il cibo o la bevanda da lui preferiti.*

Esempio: **A** Preferisci i panini al formaggio o al prosciutto?
B Preferisco i panini al formaggio.

* Quando la risposta del compagno è: "nessuno dei due/nessuna delle due", lo studente A fa un'altra domanda e la aggiunge alla tabella.

STUDENTE A

Preferisci	i panini al formaggio o al prosciutto? il vino rosso o il vino bianco? il pane o i grissini? le fragole o i lamponi? l'uva o le mele? gli spaghetti al pomodoro o al pesto? la cucina cinese o la cucina indiana? ....?

Esercizio 

Collega ogni parola del gruppo A con il suo contrario del gruppo B.

A		B
1 ☐ crudo		a pulito
2 ☐ sporco		b amaro
3 ☐ salato		c buono
4 ☐ cattivo		d cotto
5 ☐ freddo		e insipido
6 ☐ dolce		f caldo

Esercizio 

Scrivi una frase per ognuna delle parole del gruppo B dell'esercizio precedente.

Esercizio  [2.3]

Completa.

1 Vorrei ......dei...... ravioli.
2 Vorrei ......del...... prosciutto.
3 Vorrei ......dell'...... insalata.
4 Vorrei ......delle tagliatelle.
5 Vorrei ......degli...... spaghetti.
6 Vorrei ......dell' acqua minerale.
7 Vorrei ......della frutta.
8 Vorrei ......dello zucchero.
9 Vorrei ......del formaggio.
10 Vorrei ......dell' olio.

Esercizio (in coppia)  [5.7]

Lo studente A è il cliente e legge le frasi dell'esercizio precedente. Lo studente B è il cameriere e risponde come negli esempi.

Esempi: Vorrei dei ravioli. **Glieli** porto subito.
Vorrei del prosciutto. **Glielo** porto subito.

Esercizio  [10.1]

Completa.

1 Ti piacciono gli spaghetti .... aglio, olio e peperoncino? (garlic)
2 Anche tu prendi gli spaghetti .... pomodoro?
3 Claudio prende i tortellini .... panna.
4 Nicoletta prende le penne .... formaggi.
5 Noi prendiamo gli spaghetti .... vongole.
6 Anche voi prendete il riso .... funghi?
7 Loro prendono le lasagne .... forno.
8 Mi piace molto la pasta .... uovo.
9 Io prendo le trenette .... pesto.
10 Io preferisco gli spaghetti .... sugo.

al
ai ai
alla al
all' al
al
all'
alle

Esercizio 9 [5.7]

Rispondi come negli esempi.

Esempi: Il caffè è freddo. Mi dispiace, **gliene** porto **un** altro.
La pizza è bruciata. Mi dispiace, **gliene** porto **un'**altra.

1 Questa forchetta è sporca. ....
2 Questo bicchiere è rotto. ....
3 Il pesce non è fresco. ....
4 La bistecca è troppo cruda. ....

Esercizio  [3.21]

Trasforma come negli esempi.

Esempi: Questi ravioli sono molto buoni. Sono buon**issimi**.
Questa minestra è molto salata. È salat**issima**.

1 Queste cozze sono molto fresche. ....
2 Questo ristorante è molto pulito. ....
3 Queste lasagne sono molto calde. ....
4 Quest'acqua è molto fredda. ....
5 Questo caffè è molto amaro. ....
6 Questi piatti sono molto sporchi. ....
7 Questa torta è molto dolce. ....
8 Questi peperoni sono molto piccanti. ....
9 Questo torrone è molto duro. ....
10 Questo ristorante è molto caro. ....

Esercizio  [10] [10.1]

Completa con le preposizioni.

per
al al a
del di
di
della
di di

1 Andiamo .... ristorante?
2 Vorrei prenotare un tavolo .... due.
3 Ci porti una bottiglia .... vino rosso.
4 Vorrei il vino .... casa.
5 .... secondo che cosa avete?
6 Le consiglio il piatto .... giorno.
7 Io prendo la frittura .... pesce.
8 Io prendo questo, con contorno .... insalata mista.
9 Di solito faccio colazione .... bar.
10 Facciamo un brindisi .... Cristina!

Esercizio 

Intervista cinque compagni e completa la tabella.

Che cosa mangi di solito la domenica a ...:

NOME	COLAZIONE	PRANZO	MERENDA	CENA
Carlo	cappuccino brioche	spaghetti pesce	tè al limone biscotti	minestra formaggio
Maria	niente	lasagne arrosto	niente	riso verdura
1				
2				
3				
4				
5				

Esercizio 

Riordina il dialogo.

Al telefono

☐	SIGNOR MARTINI	Per le otto.
☐	CAMERIERE	Sì, dica!
☐	CAMERIERE	Va bene. Qual è il Suo nome?
☐	SIGNOR MARTINI	Vorrei prenotare un tavolo per due persone.
1	SIGNOR MARTINI	Pronto, Ristorante "Noce"?
☐	CAMERIERE	D'accordo, arrivederla.
☐	CAMERIERE	Per che ora?
☐	SIGNOR MARTINI	Signor Martini.

Esercizio 

Completa il dialogo.

Al bar

SIGNORA MELZI	C..........................!
CAMERIERA	Prego, desidera?
SIGNORA MELZI	..........................un cappuccino e una brioche.
CAMERIERA	Subito, signora.
SIGNORA MELZI	..........................' è?
CAMERIERA	Sono duemilatrecento lire.

WORDSEARCH Bevande

Sai che cosa dicono gli Italiani quando fanno un brindisi? (Si dice anche a chi starnutisce.)

Chiave (6) _ _ _ _ _ _

Acqua
Aperitivo
Aranciata
Bevanda
Bibita
Birra
Caffè
Camomilla
Cappuccino
Cioccolata

S A A D N A V E B O O S
U T E L L I M O N A T A
C A T A L A N I T B A P
C I N T L I C U I I L E
O C A T V C M R U B L R
E N M E U E R O T I U I
F A U P R A T E M T R T
F R P P E A U Q C A F I
A A S A S O S S A G C V
C C I O C C O L A T A O

Frullato
Gassosa
Latte
Limonata
Spremuta
Spumante
Succo
Tè
Vino

Esercizio 

Collega le domande con le risposte.

Che cosa mi consiglia?
Che cosa mi raccomanda?

1	e	Che cosa desidera come antipasto?	a	Sì, mi porti dell'uva.
2		Che cosa desidera come primo piatto?	b	No, grazie. Mi porti il conto, per favore.
3		Che cosa desidera come secondo?	c	Sì, mi porti una coppa alla vaniglia.
4		Come contorno che cosa desidera?	d	Una bottiglia di vino rosso.
5		Da bere che cosa desidera?	e	L'insalata russa.
6		Desidera della frutta?	f	Sì, mi porti una mozzarella.
7		Desidera del gelato?	g	Gli spaghetti al pomodoro.
8		Desidera del formaggio?	h	La frittura di pesce.
9		Desidera un caffè?	i	Insalata mista.

Esercizio (in coppia) 

Al ristorante

**Lo studente A è il cameriere, rivolge le domande dell'esercizio 15 allo studente B e compila la ricevuta fiscale nella pagina seguente.
Lo studente B è il cliente e, consultando il menu, risponde alle domande.**

Ristorante ROSETTA
VIA MAZZINI, 10
ZONA PORTO - GENOVA
Specialità Marinare - Cucina Classica Internazionale

MENU DEL GIORNO

Pane e coperto	L. 3.000

ANTIPASTI

Antipasti della casa	L.15.000
Cozze alla marinara	L.13.000
Prosciutto crudo e melone	L.15.000
Pomodori ripieni di riso	L.14.000

PRIMI PIATTI

Trenette al pesto	L. 9.500
Penne all'arrabbiata	L. 9.500
Spaghetti alle vongole	L.10.000
Ravioli alla casalinga	L.11.000
Spaghetti alla carbonara	L.10.000
Tagliatelle al pomodoro	L. 9.500
Minestrone alla genovese	L.10.000
Lasagne al forno	L.11.000

SECONDI PIATTI

Pollo arrosto	L.13.000
Agnello	L.13.000
Bistecca ai ferri	L.15.000
....	L. .....
....	L. .....

CONTORNI

Patatine fritte	L. 5.500
Insalata mista	L. 6.000
Pomodori	L. 5.500
Verdure cotte	L. 6.000

PESCE

Pesce arrosto	L.16.000
Sogliole fritte	L.16.000
Frittura di pesce	L.16.000
Scampi arrostiti	L.17.000

FORMAGGI

Formaggi misti	L. 9.000
....	L. .....

FRUTTA

Frutta di stagione	L. 7.500
Macedonia di frutta	L. 7.500

DESSERT

Dolce della casa	L. 7.500
Gelato	L. 7.500
....	L. .....
....	L. .....
....	L. .....

BEVANDE

Acqua minerale	L. 7.000
Birra nazionale	L. 7.500
Vino della casa	L.13.000
Caffè	L. 3.000

Menu Turistico L.35.000

RICEVUTA FISCALE D.M 13 Ottobre 1979. Art. 1	N 1078403 /89	
EMITTENTE	DITTA denominazione o ragione sociale (cognome e nome)	

RICEVUTA FISCALE N. .... DEL ....

CLIENTE		NOTE
	Ditta	
	Residenza o domicilio	

SERVIZI (Natura e Qualità)	QUANTITÀ	IMPORTO
Coperti		
Vini		
Bevande		
Antipasto		
Primo Piatto		
Secondo piatto		
Formaggio		
Dessert e frutta		
Caffè		
Pizze		
TOTALE CORRISPETTIVI (1) ☐ PAGATO PER L. .... ☐ NON PAGATO	TOTALE (IVA INCLUSA)	

WORDSEARCH Dolciumi

Come si chiamano i dolci tipici di Siena, Verona e Genova?

Chiave (8, 7, 8): _ _ _ _ _ _ _ _ - _ _ _ _ _ _ _ - _ _ _ _ _ _ _ _

```
P T A R T I N E N O R R O T
A E A S A V O I A R D O C A
L H T A N L F L O R E O O R
L C A N N O L I T N N A N A
E O T A E E T E O I T P F L
B I S T M I P T T R A P E L
M R O A N D T A O T O O T O
A B R S R E L T O C I C T N
I A C S N O P A E N C R I I
C H I A C C H I E R E U F L
O D P C M E R I N G A O Z L
N L O O Z Z O T I R A M C O
O I A T A I L G O F S E A R
C B I G N E T T E L L A G F
```

Amaretti
Bignè
Brioche
Cannoli
Caramella
Cassata
Chiacchiere
Ciambella
Cioccolatino
Confetti
Cono
Coppa
Crostata

Frittella
Frollino
Gallette
Maritozzo
Meringa
Panettone
Savoiardo
Sfogliata
Tartine
Tarallo
Torta
Torrone
Zuccotto

Albergo Ristorante Umbra

UMBRA s.r.l.
Via degli Archi, 6 - ☎ (075) 812.240 - 812.563
06081 ASSISI (Perugia)
Codice fiscale/Partita IVA: 00213920549

APPARTAMENTO N. ______ PERSONE N. ______ TAVOLO N. 67

NATURA E QUALITA' DEI SERVIZI	Quantità	IMPORTI
1 - CAMERA		
2 - MEZZA PENSIONE		
3 - PENSIONE COMPLETA		
4 - PRIMA COLAZIONE		
5 - RISTORANTE - PRANZO		
6 - RISTORANTE - CENA		
7 - RISTORANTE - VARIE		
8 - BAR - LIQUORI		
10 - BAR - CAFFETTERIA		3000
11 - CANTINA - VINI / BIRRA		10000
12 - CANTINA - ACQUA MINERALE		2000
13 - TELEFONO		
14 - BIANCHERIA		
15 - VARIE		
PANE E COPERTO	2	6000
ANTIPASTO		14000
PRIMO PIATTO	2	13000
SECONDO PIATTO		20000
VERDURE	3	22500
FRUTTA		
DESSERT		
TOTALE (servizio e tasse comprese) L.		100500

Numerazione interna ☑ Ricevuta fiscale ☐ Fattura N. ______ del 26-07-90

Sig. ______
p. c. ______

CONTEGGIO IVA
Imponibile L. ______
Imposta L. ______

RICEVUTA FISCALE - FATTURA
(D.M. 13.10.79 e 18.1.80)
XRF 3244 /90

Tipografia Metastasio F.lli Vignati & C. s.n.c.
Via Arco dei Priori, 4 - 06081 Assisi (Pg)
Aut. Min. Fin. N. 362600/79 del 12/6/79

OSTERIA COMUNE ANTICO

Musica dal vivo con famosi personaggi

Pasta e dolci fatti in casa

Grigliate di carne, pesce e verdura

IL FAMOSO MANZO ALLA BIRRA NERA

POSSIBILITÀ DI PARCHEGGIO

VIA COMUNE ANTICO, 17
(angolo F. Romani)
Tel. 66.93.684 - 20125 MILANO

CHIUSO LA DOMENICA

- **PRONTI...VIA! THE ITALIAN HANDBOOK**

Tabelle sostitutive:	
• Cibi e bevande	p. 90
• Bar, ristoranti, ...	p. 94
• A casa	p. 100
Ricette	p. 91
Parole comuni nelle ricette	p. 93

- **A NEW STYLE ITALIAN GRAMMAR**
Strutture grammaticali

Articoli determinativi [2.1]	Esercizio 1
Partitivi [2.3]	Esercizio 6
Pronomi [5.2]	Esercizio 2
Pronomi combinati [5.7]	Esercizi 7, 9
Preposizioni [10] [10.1]	Esercizi 8, 11
Gradi di comparazione [3.21]	Esercizio 10

Vocabolario - Cibi e bevande

Cibi e bevande	pp. 71-72
Bar, ristoranti, ...	pp. 72-73
Frutta e verdura	p. 74
Carne e pesce	p. 74

Verbi

accomodarsi, apparecchiare, apprezzare, approvare, aver fame, aver sete, aver voglia di, augurare, brindare, cenare, chiedere, complimentarsi, consigliare, costare, desiderare, detestare, gradire, lamentarsi, mangiare, offrire, ordinare, passare, pranzare, preferire, prendere, prenotare, preparare, provare, scegliere, servire, tagliare, trovare.

Fraseologia essenziale

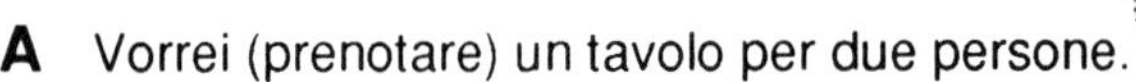

A Vorrei (prenotare) un tavolo per due persone.

A Come antipasto vorrei ...

A Come primo piatto vorrei ...

A Di secondo vorrei ....

A Con contorno di ...

A Da bere vorrei ...

A Il conto, per favore.

9 COMPERARE

1

Roberto Scusi, a che ora aprono i negozi di abbigliamento?
Passante Aprono alle otto e mezzo.
Roberto E a che ora chiudono?
Passante Chiudono alle otto. (*)

ooo

2

Roberto Scusi, mi sa dire dov'è il reparto abbigliamento?
Commesso Sì, è al terzo piano, sulla destra, dopo il reparto profumi.
Roberto C'è l'ascensore?
Commesso No, ma può usare la scala mobile.
Roberto Grazie mille!

ooo

3

Roberto Vorrei una maglia.
Commessa Come la vuole? Di lana o di cotone?
Roberto Di cotone.
Commessa E di che colore la desidera?
Roberto Mah, non saprei...la vorrei molto chiara: azzurra o bianca.
Commessa Le va bene questa?
Roberto Avete qualcosa di più sportivo?
Commessa Abbiamo questo nuovo modello.
Roberto Quanto costa?
Commesssa Centocinquantamila lire.
Roberto È molto bella, ma è troppo cara.

4

Janie Avete l'ultimo compact disc di Pavarotti?
Commesso Sì, lo trova nello scaffale in fondo, sotto la P.
Janie Quanto costa?
Commesso Venticinquemila lire.
Janie Posso pagare con un assegno?
Commesso Mi dispiace, ma non accettiamo assegni.
Janie Va bene. Ecco a lei cinquantamila lire.
Commesso Ecco il resto e lo scontrino. Arrivederci!

5

Valerio Dove fai di solito la spesa?
Silvia La spesa settimanale la faccio alla COOP, perché ha un grande parcheggio; altrimenti vado in un negozio vicino a casa mia. E tu dove vai?
Valerio Due volte alla settimana vado al mercato, perché è molto economico e qualche volta vado alla Standa perché fanno il servizio a domicilio e ci sono spesso offerte speciali.

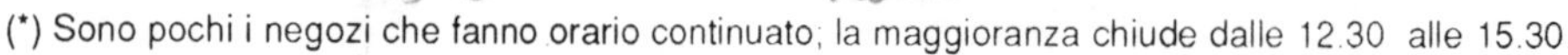
(*) Sono pochi i negozi che fanno orario continuato; la maggioranza chiude dalle 12.30 alle 15.30.

6

Commesso	Buongiorno! Desidera?
Paola	Ieri ho comprato questa radio, ma non funziona. Potrebbe cambiarmela?
Commesso	Ha la ricevuta?
Paola	Sì, eccola.
Commesso	Bene, gliela cambio subito.

Rispondi alle seguenti domande.

1
- **a** A che ora aprono i negozi di abbigliamento?
- **b** A che ora chiudono?

2
- **a** A che piano si trova il reparto abbigliamento?
- **b** Dopo quale reparto si trova?
- **c** Roberto come può raggiungere il reparto abbigliamento?

3
- **a** Che cosa vuole comprare Roberto?
- **b** Come la vuole?
- **c** Di che colore la vuole?
- **d** Che modello desidera?
- **e** Quanto costa il nuovo modello?
- **f** Che cosa pensa Roberto del nuovo modello?

4
- **a** Quale compact disc di Pavarotti vuole comprare Janie?
- **b** Dove lo può trovare?
- **c** Quanto costa?
- **d** Perché Janie non può pagare con un assegno?
- **e** Quanto denaro dà Janie al commesso?
- **f** Che cosa riceve insieme al resto?

5
- **a** Dove fa la spesa settimanale Silvia?
- **b** Perché?
- **c** Dove fa la spesa gli altri giorni?
- **d** Dove fa la spesa Valerio due volte alla settimana?
- **e** Perché?
- **f** Dove fa la spesa qualche volta?
- **g** Perché?

6
- **a** Che cosa ha comprato Paola?
- **b** Quando l'ha comprata?
- **c** Perché la vuole cambiare?
- **d** Che cosa le chiede il commesso?
- **e** Che cosa fa il commesso?

ORARIO

Inverno

mattina:	dalle 9.00 alle 12.30
pomeriggio:	dalle 15.30 alle 19.00

Estate

mattina:	dalle 9.00 alle 12.30
pomeriggio:	dalle 16.00 alle 20.00

Lunedì mattina e festivi: chiuso.

WORDSEARCH

A) Trova il nome di tre famosi stilisti italiani.

Chiave (6, 7, 9) _ _ _ _ _ _   _ _ _ _ _ _ _   _ _ _ _ _ _ _ _ _

Calze	Belt
Camicia	Coat
Cappello	Dress
Cappotto	Gloves
Cintura	Handkerchief
Collant	Hat
Cravatta	Jacket
Fazzoletto	Jeans
Giacca	Jersey
Gonna	Raincoat
Guanti	Scarf
Impermeabile	Shirt
Jeans	Shoes
Maglia	Skirt
Pantaloni	Socks
Scarpe	Tie
Sciarpa	Tights
Vestito	Trousers

S	R	E	S	U	O	R	T	O	T	I	T	S	E	V
S	A	S	K	I	R	T	C	A	P	P	E	L	L	O
E	F	R	A	C	S	R	M	A	G	L	I	A	T	T
R	G	I	A	C	C	A	T	L	E	B	M	E	R	S
D	C	A	M	I	C	I	A	A	A	N	K	I	C	I
P	R	V	H	A	N	D	K	E	R	C	H	I	E	F
A	A	E	Z	L	A	C	M	E	A	S	A	R	A	S
N	V	C	J	J	G	R	O	J	A	R	E	Z	C	S
T	A	H	A	E	E	U	C	A	P	I	Z	J	I	C
A	T	A	E	P	A	R	A	A	T	O	G	E	N	A
L	T	T	M	V	P	N	S	N	L	A	O	A	T	R
O	A	I	S	K	C	O	S	E	T	L	N	N	U	P
N	C	O	L	L	A	N	T	E	Y	I	N	S	R	E
I	S	T	H	G	I	T	N	T	C	O	A	T	A	T
I	N	S	E	V	O	L	G	O	O	S	H	O	E	S

B) Collega le parole italiane sopraelencate con quelle inglesi.

Esercizio 1

Collega le parole della colonna A con quelle della colonna B.

IN CHE NEGOZIO COMPRERESTI...?

	A		B
1	le banane	a	Alimentari
2	la carne	b	Cartoleria
3	i francobolli	c	Edicola
4	i gelati	d	Farmacia
5	i giornali	e	Fioraio
6	i libri	f	Fruttivendolo
7	i fiori	g	Gelateria
8	gli spaghetti	h	Gioielleria
9	le medicine	i	Libreria
10	gli orecchini	l	Macelleria
11	il pesce	m	Panetteria
12	i profumi	n	Pasticceria
13	i quaderni	o	Pescheria
14	il pane	p	Profumeria
15	le torte	q	Tabaccheria

Esercizio  [2.3]

Fai le domande come nell'esempio.

Esempio: (dischi di Pavarotti) Avete **dei** dischi di Pavarotti?

1 (maglie di lana) ....
2 (orologi di Benetton) ....
3 (ceramica di Deruta) ....
4 (formaggio locale) ....
5 (shampoo alle erbe) ....
6 (aglio) ....
7 (giacche di Missoni) ....
8 (olio d'oliva) ....
9 (olive) ....
10 (cravatte di Armani) ....

Esercizio 

Completa le frasi, utilizzando le seguenti parole:
paio, etto, litro, lattina, pacco, pacchetto, sacchetto, dozzina, scatola, chilo.

1 Vorrei un .... di pane.
2 Vorrei una .... di uova.
3 Vorrei un .... di latte.
4 Vorrei un .... di formaggio.
5 Vorrei una .... di aranciata.
6 Vorrei un .... di plastica.
7 Vorrei una .... di fiammiferi.
8 Vorrei un .... di spaghetti.
9 Vorrei un .... di caramelle.
10 Vorrei un .... di scarpe.

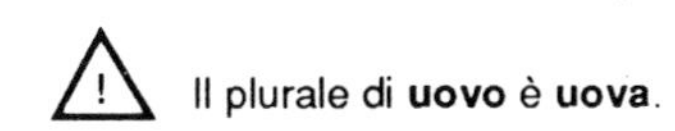
Il plurale di **uovo** è **uova**.

Esercizio 

A) Completa le frasi con l'espressione adatta.

Esempio: Vorrei delle calze ......*di cotone*...... (di ferro/**di** cotone)

1 Vorrei una maglia .... (di lana/di legno)
2 Vorrei una giacca .... (di pelle/d'oro)
3 Vorrei una collana .... (di carta/d'argento)
4 Vorrei una pentola .... (di plastica/d'acciaio)

B) Scrivi una frase per ognuna delle espressioni che non hai usato.

Esercizio

Fai le domande come nell'esempio.

Esempio: Vorrei una maglia. Di che colore **la** desidera?

1 Vorrei un cappotto. ....
2 Vorrei una borsa. ....
3 Vorrei una giacca. ....
4 Vorrei un impermeabile. ....
5 Vorrei delle scarpe. ....
6 Vorrei dei pantaloni. ....
7 Vorrei un pullover. ....
8 Vorrei delle calze. ....
9 Vorrei una camicia. ....
10 Vorrei dei fazzoletti. ....

Esercizio

Collega le parole della colonna A con quelle della colonna B.

	A			B
1	☐	argento	a	cloth
2	☐	carta	b	gold
3	☐	cotone	c	glass
4	☐	ferro	d	silk
5	☐	lana	e	paper
6	☐	legno	f	cotton
7	☐	metallo	g	velvet
8	☐	nailon	h	silver
9	☐	oro	i	wool
10	☐	pelle	l	iron
11	☐	plastica	m	nylon
12	☐	seta	n	wood
13	☐	stoffa	o	leather
14	☐	vetro	p	metal
15	☐	velluto	q	plastic

Esercizio 

Completa la tabella.

DI CHE COLORE E...?

1 l'aglio, **2** l'arancia, **3** il basilico, **4** la carota, **5** il sale, **6** la castagna, **7** la fragola, **8** il limone, **9** la noce, **10** il pomodoro, **11** il pompelmo, **12** la lattuga.

ARANCIONE	BIANCO	GIALLO	MARRONE	ROSSO	VERDE
		il limone			
la carota					

Esercizio  [5.2]

Fai le domande come nell'esempio.

Esempio: (maglia) **La** posso provare, per favore?

1 (cappello) ....?
2 (camicia) ....?
3 (cintura) ....?
4 (giacca a vento) ....?
5 (impermeabile) ....?
6 (jeans) ....?
7 (scarpe) ....?
8 (pantaloni) ....?
9 (vestito) ....?
10 (pullover) ....?

Esercizio  [8.1]

Scrivi in lettere le cifre sottolineate.

Esempio: La gonna costa 44.900 lire. Quarantaquattromilanovecento lire.

1 Il cappello costa 59.500 lire. ....
2 La camicia costa 66.000 lire. ....
3 La cintura costa 34.000 lire. ....
4 La giacca a vento costa 120.000 lire. ....
5 L'impermeabile costa 145.000 lire. ....
6 I jeans costano 49.900 lire. ....
7 Le scarpe costano 78.500 lire. ....
8 I pantaloni costano 53.900 lire. ....
9 Il vestito costa 199.500 lire ....
10 Il pullover costa 82.000 lire ....

F11189

BANCA LIGURIA — ISTITUTO BANCARIO

A vista pagate per questo assegno

lire *duecentotrentamila*

a *Ciapini Aldo*

450 251 989-19 firma *Niella Silvia*

Esercizio

Risolvi il cruciverba con il contrario delle parole sottolineate.

ORIZZONTALI

1. Questo pullover è troppo leggero.
2. Questo vestito è troppo stretto.
3. Questo cappotto è troppo corto.
4. Questo costume è troppo piccolo.
5. Questo è un nuovo modello.

VERTICALE

1. Come si dice "sales" in italiano?

Esercizio

Volgi al plurale le frasi dell'esercizio precedente.

Esempio: Questi pullover sono troppo leggeri.

1. ....
2. ....
3. ....
4. ....

Esercizio

Volgi al plurale.

Esempio: Questa collana è troppo cara. Queste collane sono troppo care.

1. Questa stoffa è troppo leggera. Queste stoffe sono troppo leggere
2. Questa camicia è troppo stretta. Queste camicie sono troppo strette
3. Questa gonna è troppo lunga. Queste gonne sono troppo lunghe
4. Questa giacca è troppo larga. Queste giacche sono troppo larghe
5. Questa è una nuova marca. Queste sono delle nuove marche

I nomi e gli aggettivi femminili in **-ca** e **-ga**, fanno nel plurale **-che** e **-ghe**. Esempio: giacca, giacche.

Esercizio 13

Scrivi cinque frasi simili a quelle dell'esercizio precedente.

Esempio: (borsa) Questa borsa è troppo cara.

1 (maglia) ....
2 (cappello) ....
3 (impermeabile - m) ....
4 (pigiama - m) ....
5 (scarpa) ....

Esercizio 14 [10] [10.1]

Completa con le preposizioni.

1 I negozi aprono .... otto e mezzo.
2 Dov'è un'agenzia .... cambio?
3 Vorrei un giocattolo .... un bambino di sei anni.
4 Vorrei un chilo .... pane.
5 Accettate la carta .... credito?
6 Avete delle calze .... cotone?
7 Andiamo spesso .... supermercato.
8 Vorrei un paio .... occhiali.
9 Noi facciamo la spesa .... Standa.
10 Posso pagare .... un assegno?

di di di di di al alla alle per con

Esercizio 15 [5.7]

Completa come nell'esempio.

Esempio: Questa borsa è rotta. **Me la** cambia, per favore?

1 Questa maglia è scucita. ....
2 Questo orologio non funziona. ....
3 Queste scarpe sono larghe. ....
4 Questi pantaloni sono stretti. ....
5 Questa radio non funziona. ....
6 Questo vestito non mi va bene. ....
7 Questi stivali sono stretti. ....
8 Questo cappotto è troppo lungo. ....
9 Questa gonna è troppo corta. ....
10 Queste calze non sono di cotone. ....

me lo
me la
me li
me le

Esercizio  [5.4] [5.7]

XW

Completa come nell'esempio.

broken

Esempio: Questa borsa è rotta. Potrebbe cambiar**mela**, per favore?

1 Questa maglia è scucita. Portrebbe cambiarmela p.f.?
2 Questo orologio non funziona. " cambiarmelo " ?
3 Queste scarpe sono larghe. " cambiarmele " ?
4 Questi pantaloni sono stretti. " cambiarmeli " ?
5 Questa radio non funziona. " cambiarmela " ?
6 Questo vestito non mi va bene. " cambiarmelo " ?
7 Questi stivali sono stretti. " cambiarmeli " ?
8 Questo cappotto è troppo lungo. " cambiarmelo " ?
9 Questa gonna è troppo corta. " cambiarmela " ?
10 Queste calze non sono di cotone. " cambiarmele " ?

Esercizio  [5.7]

Rispondi alle domande dell'esercizio precedente.

Esempio: Potrebbe cambiarmela, per favore? **Gliela** cambio subito.

1 ....
2 ....
3 ....
4 ....
5 ....
6 ....
7 ....
8 ....
9 ....
10 ....

Esercizio 

Collega le frasi della colonna A con quelle della colonna B.

	A		B
1 [d]	A che ora aprono i negozi?	a	È a cento metri, sulla destra.
2 [ ]	Dov'è una panetteria?	b	Al primo piano.
3 [ ]	Dov'è il reparto alimentari?	c	Trentacinquemila lire.
4 [ ]	Vorrei una borsa.	d	Alle otto e mezzo.
5 [ ]	Quanto costa?	e	Di che colore la desidera?

WORDSEARCH

Come si dice 'shopping centre' in italiano?

Chiave (6, 11) _ _ _ _ _ _ _ _ _ _ _ _ _ _ _ _ _

MATERIE

- Argento
- Carta
- Cotone
- Ferro
- Lana
- Legno
- Metallo
- Oro
- Pelle
- Plastica
- Seta
- Stoffa
- Velluto
- Vetro

G C E D R E V I O L A E N
I T A O S S O R P E L L E
A B F T R R O L A N A N N
L I F C E O A O L O C E O
L A O M M S E N R A O R R
O N T C T A R G E N T O R
R C S I I A V E T R O E A
R O C O T U L L E V N O M
E A R A N C I O N E E R L
F A T R A C G R I G I O E

COLORI

- Arancione
- Bianco
- Giallo
- Grigio
- Marrone
- Nero
- Rosa
- Rosso
- Verde
- Viola

Verbi

andare, avere, aprire, chiudere, costare, desiderare, dovere, fare, pagare, potere, preferire, provare, trovare, volere.

Fraseologia essenziale

A A che ora aprono/chiudono i negozi di ...?

A Dov'è un negozio di ...?

A Dov'è il reparto ...?

A Avete ...?

A Vorrei ...

A Quanto costa?

A Posso pagare con un assegno/con la carta di credito?

A Questo ... non funziona/è rotto.

A Potrebbe cambiarmelo, per favore?

A Che taglia/misura ha?

A Che numero porta (di scarpe)?

SERVIZI

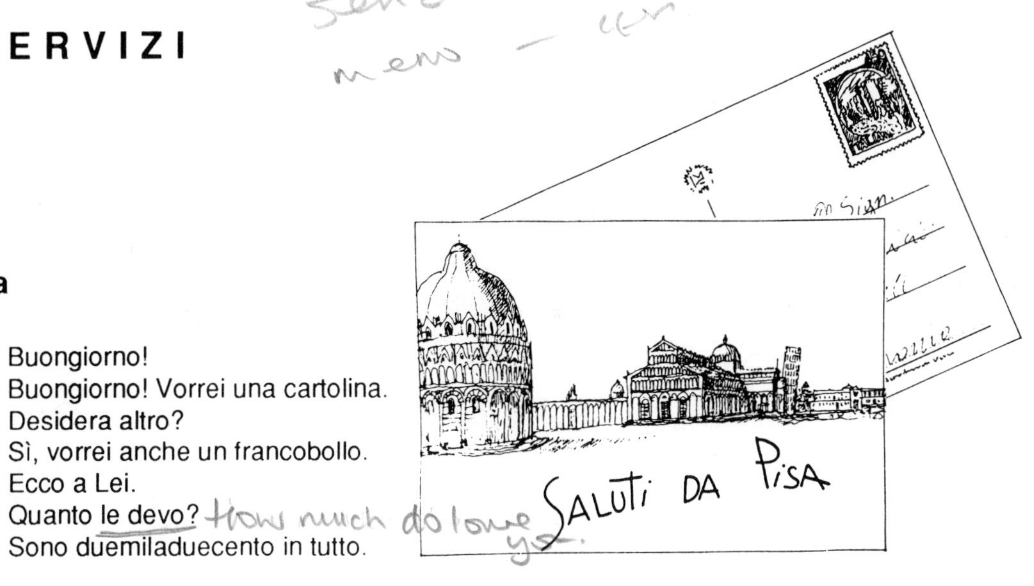

In tabaccheria

1

TABACCAIO	Buongiorno!
MARIA	Buongiorno! Vorrei una cartolina.
TABACCAIO	Desidera altro?
MARIA	Sì, vorrei anche un francobollo.
TABACCAIO	Ecco a Lei.
MARIA	Quanto le devo?
TABACCAIO	Sono duemiladuecento in tutto.

All'ufficio postale

2

CARLO	Mi dia due francobolli per lettera, per favore.
IMPIEGATA	Per dove?
CARLO	Per l'Australia.
IMPIEGATA	Ecco a Lei. Fanno duemila lire. Desidera altro?
CARLO	Sì, vorrei spedire questo pacco.
IMPIEGATA	Deve andare allo sportello dei pacchi, in fondo a destra.
CARLO	Grazie!

Ai telefoni

3

JANIE	Buongiorno!
IMPIEGATA	Buongiorno! Desidera?
JANIE	Che numero devo fare per telefonare in Inghilterra?
IMPIEGATA	Lo 0044, seguito dal prefisso della località, senza lo zero.
JANIE	Mille grazie!

4

MARIA	Vorrei una carta telefonica.
IMPIEGATO	Da quanto la vuole?
MARIA	Da diecimila lire.
IMPIEGATO	Ecco a Lei.
MARIA	Grazie!

LIRE 10000
CARTA TELEFONICA
SIP
LIRE 5000
CARTA TELEFONICA
SIP

○○○

5

MARIA	Pronto!
PAOLA	Pronto! Chi parla?
MARIA	Sono Maria. C'è Carlo?
PAOLA	Sì, te lo chiamo subito.

6

SIGNOR MARTINI	Pronto!
SIGNORA BADO	Pronto! Chi parla?
SIGNOR MARTINI	Sono il signor Martini. Potrei parlare con il dottor Bado?
SIGNORA BADO	Mi dispiace, ma mio marito è appena uscito.
SIGNOR MARTINI	Potrebbe dirgli di richiamarmi, per favore?
SIGNORA BADO	Sì, certamente. Qual è il Suo numero di telefono?
SIGNOR MARTINI	Il prefisso è 0183 e il numero è 357136.

In banca

7

JANIE	Buongiorno! Vorrei cambiare cento sterline di travellers' cheque.
IMPIEGATO	Ha un documento, per favore?
JANIE	Sì, ho il passaporto.
IMPIEGATO	Firmi questo modulo, per favore.
JANIE	Potrebbe darmi due biglietti da centomila lire?
IMPIEGATO	Sì, ecco a Lei. E il resto come lo vuole?
JANIE	In biglietti da diecimila.

8

SILVIA	Quant'è il cambio del dollaro?
IMPIEGATO	Oggi la quotazione è milletrecento lire.
SILVIA	Vorrei cambiare cinquanta dollari.
IMPIEGATO	Allora... fanno sessantacinquemila lire. Come li vuole?
SILVIA	Come preferisce.
IMPIEGATO	Ecco a Lei. Grazie e arrivederci!

All'ufficio oggetti smarriti

9

ENRICA	Ho perso la borsa.
IMPIEGATO	Quando è successo?
ENRICA	Giovedì mattina, al mercato.
IMPIEGATO	Aveva oggetti di valore?
ENRICA	Purtroppo avevo tutti i miei documenti!

Dal calzolaio

10

SIGNORA BADO	Potrebbe ripararmi le scarpe?
CALZOLAIO	Le lasci pure. Qual è il suo nome?
SIGNORA BADO	Signora Bado. Quando saranno pronte?
CALZOLAIO	Passi mercoledì, dopo mezzogiorno.
SIGNORA BADO	Grazie! Arrivederci!

Rispondi alle seguenti domande.

1
- **a** Che cosa compra Maria?
- **b** Quanto paga?

2
- **a** Che cosa compra Carlo?
- **b** Per quale paese?
- **c** Quanto paga?
- **d** Che cosa vuole spedire?
- **e** Dov'è lo sportello di cui ha bisogno?

3
- **a** Che numero bisogna fare per telefonare in Inghilterra?

4
- **a** Che cosa desidera Maria?
- **b** Quanto paga?

5
- **a** Con chi vuole parlare Maria?
- **b** È in casa?

6
- **a** Che cosa desidera il signor Martini?
- **b** Dov'è il dottor Bado?
- **c** Che cosa deve dire la signora Bado a suo marito?
- **d** Qual è il numero di telefono del signor Martini?

7
- **a** Che cosa vuole cambiare Janie?
- **b** Che cosa le chiede l'impiegato?
- **c** Che cosa deve firmare Janie?
- **d** Che tipo di banconote desidera Janie?

8
- **a** Quant'è il cambio del dollaro?
- **b** Quanto vuole cambiare Silvia?
- **c** Quanto le dà l'impiegato in lire?
- **d** Che tipo di banconote preferisce Silvia?

9
- **a** Che cosa ha perso Enrica?
- **b** Quando?
- **c** Dove?
- **d** Che cosa conteneva?

10
- **a** Che cosa vuol fare riparare la signora Bado?
- **b** Quando saranno pronte?

Esercizio 1

Completa le frasi, utilizzando i seguenti verbi:
parlare, cambiare, spedire, fare, spiegare, ricevere, compilare, telefonare, denunciare, avere.

1. Vorrei .... questo pacco in Germania.
2. Vorrei .... la corrispondenza presso questo ufficio postale.
3. Deve .... questo modulo.
4. Mi potrebbe .... che cos'è il fermo posta?
5. Potrei .... con il dottor Brandi?
6. Vorrei .... una telefonata interurbana.
7. Vorrei .... in Australia.
8. Posso .... dei gettoni?
9. Vorrei .... 100 sterline.
10. Vorrei .... il furto dei documenti.

Esercizio 2 [5.4]

Trasforma come nell'esempio.

Esempio: Mi puoi richiamare più tardi? Puoi richiamar**mi** più tardi?

1. Ti posso telefonare tra dieci minuti? ....
2. Gli puoi spedire questa lettera? ....
3. Scusi! Mi può cambiare mille lire? ....
4. Vi possiamo telefonare più tardi. ....
5. Ci potete imprestare la macchina? ....
6. Vi possono aspettare. ....
7. Ti devo parlare. ....
8. Ti devi ricordare di telefonare. ....
9. Ti deve richiamare. ....
10. La voglio invitare. ....

Esercizio 3 [5.2][5.3]

Rispondi alle domande come negli esempi.

Esempi: Hai comprato il quaderno? No, **lo** comprerò domani.
Hai spedito i telegrammi? No, **li** spedirò domani.

1. Hai comprato i francobolli? ....
2. Hai comprato la carta telefonica? ....
3. Hai spedito la lettera? ....
4. Hai spedito le cartoline? ....
5. Hai spedito il pacco? ....
6. Hai cambiato i travellers' cheque? ....
7. Hai compilato il modulo? ....
8. Hai telefonato a Carlo? ....
9. Hai telefonato a Maria? ....
10. Hai telefonato ai tuoi genitori? ....

Esercizio  [5.6]

Completa come negli esempi.

Esempi: Devi spedire le cartoline. **Le** ho già spedit**e**.
Devi spedire il pacco. **L'**ho già spedit**o**.

1. Devi scrivere la lettera. ....ho già scritt...
2. Devi comprare il libro. ....ho già comprat... .
3. Devi cambiare i soldi. ....ho già cambiat... .
4. Devi compilare il modulo. ....ho già compilat... .
5. Devi restituire il martello. ....ho già restituit...
6. Devi pulire la tua camera. ....ho già pulit...
7. Devi trovare le chiavi. ....ho già trovat... .
8. Devi ringraziare i tuoi amici. ....ho già ringraziat... .
9. Devi ringraziare le tue amiche. ....ho già ringraziat...
10. Devi riparare la bicicletta. ....ho già riparat...

Esercizio  [5.6] [5.7]

Completa come negli esempi.

Esempi: Gli hai comprato le cartoline? Sì, **gliele** ho comprate.
Mi hai comprato il libro? Sì, **te l'**ho comprato.

1. Gli hai comprato i francobolli? Sì, ...ho comprati.
2. Gli hai comprato la cartolina? Sì, ...ho comprata.
3. Gli hai spedito le lettere? Sì, ...ho spedite.
4. Gli hai spedito il telegramma? Sì, ...ho spedito.
5. Mi hai comprato i gettoni? Sì, ...ho comprati.
6. Mi hai comprato il giornale? Sì, ...ho comprato.
7. Mi hai comprato le riviste di musica? Sì, ...ho comprate.
8. Mi hai comprato la penna? Sì, ...ho comprata.

Esercizio  [10][10.1]

Completa con le preposizioni.

1. Scusi, dov'è una buca ....lettere?
2. Gli uffici postali il sabato chiudono ....mezzogiorno.
3. L'ufficio postale è vicino ....banca.
4. L'ufficio postale apre ....8.15.
5. Mi dia un francobollo ....la Gran Bretagna, per favore.
6. Mi dia un francobollo ....mille lire, per favore.
7. Vorrei spedire questa lettera ....via aerea.
8. Quanto costa spedire una lettera ....Australia?
9. Lo sportello ....raccomandate è in fondo, a destra.
10. Dov'è lo sportello ....fermo posta?

delle delle
alla alle
per per
da a
in
del

Esercizio 

Esercizio come il precedente.

near — newspaper kiosk

1. C'è un telefono accanto ....edicola.
2. Mi dia le pagine gialle ......da/per........Firenze, per favore. ?
3. Vorrei telefonare ....Canada.
4. Qual è il prefisso ....Como?
5. Vorrei una carta telefonica ....10.000 lire.
6. Potrei parlare ....il dottor Brandi?
7. Potrebbe telefonare ....dieci minuti?
8. Potrebbe dire a Claudio ....richiamarmi?
9. Posso telefonare ....miei genitori?
10. Devi telefonare ....Sandra.

Esercizio 

Collega le parole della colonna A con le parole della colonna B.

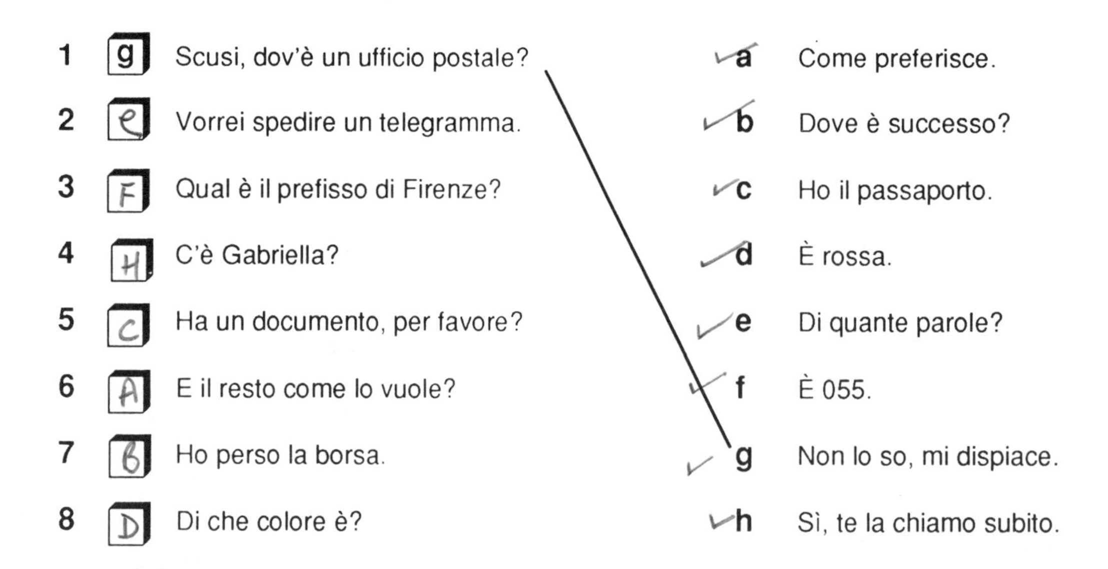

		A		B
1	g	Scusi, dov'è un ufficio postale?	a	Come preferisce.
2	e	Vorrei spedire un telegramma.	b	Dove è successo?
3	F	Qual è il prefisso di Firenze?	c	Ho il passaporto.
4	H	C'è Gabriella?	d	È rossa.
5	C	Ha un documento, per favore?	e	Di quante parole?
6	A	E il resto come lo vuole?	f	È 055.
7	B	Ho perso la borsa.	g	Non lo so, mi dispiace.
8	D	Di che colore è?	h	Sì, te la chiamo subito.

Esercizio 

Sigle e abbreviazioni.

Che cosa vuol dire ...?

1. C.A.P
2. P.T.
3. S.I.P.
4. Sig.
5. Sig.na
6. Sig.ra
7. I.V.A

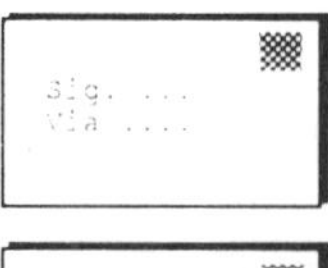

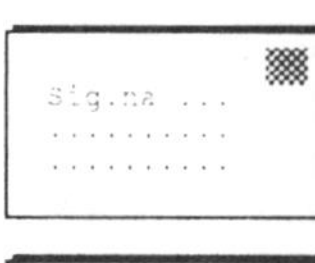

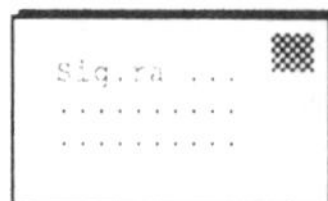

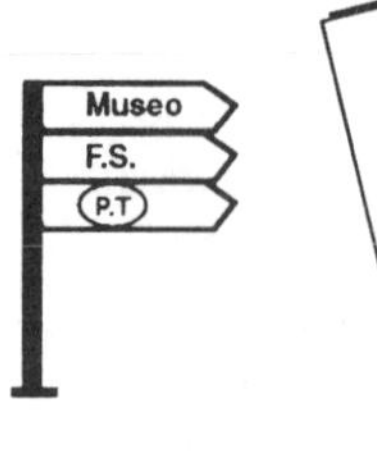

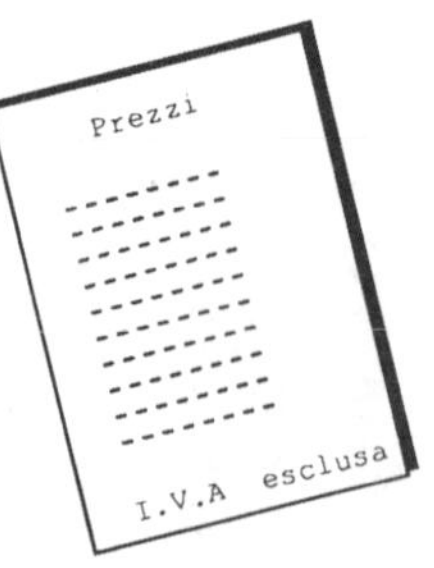

Nome
Via ..... n. .....
Città ...... CAP .....

Esercizio 

Trova le parole che mancano.

1
Ho perso i ....
Erano nuovi. Erano di lana molto morbida.
Li avevo comprati perché avevo sempre le mani fredde.

2
Mi hanno rubato il ....
È rettangolare e abbastanza piccolo.
È di pelle nera. Ha due tasche interne.
C'erano cinquantamila lire e la carta di credito.

3
Per il mio compleanno mi hanno regalato un bellissimo
.... di ceramica. È abbastanza
grande e di forma ovale; è bianco, con un piccolo disegno
moderno nel mezzo. L'ho messo nel soggiorno, sopra il tavolo.

Esercizio (in coppia)

Seguendo la guida a p.131 di "Pronti...Via! The Italian Handbook", lo studente A descrive alcuni oggetti e lo studente B cerca d'indovinare quali sono.

Esercizio

Risolvi il cruciverba.

Due turisti hanno perso 15 oggetti sul treno Firenze-Roma.

a Quali oggetti hanno perso?
b A quale ufficio devono rivolgersi per ritrovarli?

Per scoprirlo, devi:

a aggiungere le vocali nel cruciverba;
b leggere la colonna 1 verticale.

			1 S	1	L	D					
		2 B		G	L			T	T		
				3 G	U		N	T			
		4 A	N		L	L					
	5 P		R	T		F		G	L	I	
		6 G			T		N				
7	C	C	H		A	L					
			8	S	S	E	G	N			
			9		B	R		L	L		
10 C		L	L		N						
			11	R	E	C	C	H		N	
			12	R		L		G	I	O	
	13 V		L		G						
		14 P		T	E	N	T				
		15 C	H			V					

Esercizio (in coppia) 

Lo studente A fa le domande e lo studente B risponde.

STUDENTE A

Fai le domande al compagno e completa la tabella.

Esempio: **A** Quant'è il cambio del dollaro?
B È 1.117 lire.

Quant'è il cambio	...*del*...dollaro americano?	........*1.117*.......lire.
	............escudo portoghese?	.........................lire.
	............franco francese?	.........................lire.
	............corona danese?	.........................lire.
	............peseta?	.........................lire.
	............sterlina?	.........................lire.
	............scellino austriaco?	.........................lire.
	............marco tedesco?	.........................lire.
	............lira irlandese?	.........................lire.
	............dollaro australiano?	.........................lire.

STUDENTE B

Consultando il listino dei cambi, rispondi alle domande del compagno.

Esempio: **A** Quant'è il cambio del dollaro?
B È 1.117 lire.

I CAMBI DELLA LIRA

Valute estere	
Dollaro U.S.A	1.117
ECU Sme	1.549
Marco tedesco	751
Franco francese	222
Sterlina	2.199
Fiorino olandese	666
Franco belga	36
Peseta spagnola	11
Corona danese	195
Lira irlandese	2.005
Dracma	7
Escudo portoghese	8
Dollaro canadese	960
Yen giapponese	8
Franco svizzero	882
Scellino austriaco	106
Corona norvegese	192
Corona svedese	200
Marco finlandese	313
Dollaro australiano	865

BANCA LIGURIA

-19 /06/ 1991
DATA

FILIALE DI ROMA

NIELLA SILVIA
COGNOME NOME

VIA FORNI 4 ROMA
INDIRIZZO

PASSAPORTO N. 5890722 - B
DOCUMENTO D'IDENTITA'

ASSEGNI	VALUTA	IMPORTO	CAMBIO	CONTROVALORE
0	DOLLARO USA	50	1300.000	65'000

TOTALE	+ 65'000
COMMISSIONI	– 0
AMMONTARE	65'000

Silvia Niella
FIRMA

WORDSEARCH

A) Come si dice "Electric Drill" in italiano?

Chiave (7, 9) _ _ _ _ _ _ _   _ _ _ _ _ _ _ _ _

UTENSILI	TOOLS
❒ Accetta	❒ Hammer
❒ Cacciavite	❒ Hatchet
❒ Chiave	❒ Nail
❒ Chiodo	❒ Nippers
❒ Forbici	❒ Pliers
❒ Martello	❒ Saw
❒ Pinza	❒ Scissors
❒ Sega	❒ Screwdriver
❒ Tenaglia	❒ Screws
❒ Viti	❒ Spanner

A	S	E	G	A	F	O	R	B	I	C	I
C	C	C	O	L	L	E	T	R	A	M	T
C	I	H	R	C	T	E	H	C	T	A	H
E	S	I	R	E	H	A	C	P	N	R	N
T	S	A	W	A	W	I	N	O	A	E	I
T	O	V	E	L	A	D	O	E	I	M	P
A	R	E	T	V	T	R	R	D	L	M	P
Z	S	I	I	C	V	I	T	I	O	A	E
N	O	T	S	C	R	E	W	S	V	H	R
I	E	T	E	N	A	G	L	I	A	E	S
P	L	I	E	R	S	P	A	N	N	E	R

B) Collega le parole italiane sopraelencate con quelle inglesi.

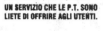

- **PRONTI...VIA! THE ITALIAN HANDBOOK**

- **A NEW STYLE ITALIAN GRAMMAR**
Strutture grammaticali

Vocabolario - Servizi

Verbi

(Ufficio postale e telefono) ascoltare, chiamare, compilare, fare il numero, fare uno sbaglio, imbucare, impostare, introdurre, mandare, parlare, riagganciare, ricevere, richiamare, riempire, sentire, sganciare, spedire, suonare, telefonare,
(Banca) accettare, cambiare, dare, firmare, girare, prelevare, ritirare, riscuotere, versare, volere.
(Ufficio oggetti smarriti) accusare, cercare, dimenticare, dovere, dubitare, lasciare, perdere, approvare, restituire, riconoscere, ricordarsi, ritrovare, rubare, scoprire, trovare,
(Riparazioni e pulizie) accettare, aggiustare, cadere, camminare, controllare, dovere, fare, funzionare, garantire, guastarsi, imprestare, iniziare, lavare, prendere in prestito, promettere, proporre, provare, pulire, raccomandare, reclamare, rendere, rifiutare, rimborsare, ringraziare, riparare, ritornare, rompersi, suggerire.

Fraseologia essenziale

Alla posta

A Quanto costa spedire una lettera in ...?

A Mi dia un francobollo per ...

A Vorrei un francobollo da ... lire.

A Dov'è lo sportello del ...?

Ai telefoni (SIP)

A Mi dia l'elenco telefonico di ..., per favore.

A Vorrei telefonare in ...

A Qual è il prefisso di ...?

A Vorrei un gettone/una carta telefonica.

A Pronto!

A Potrei parlare con ...?
B Ha sbagliato numero.
B Mi dispiace, ma è appena uscito.
B Dica! Sono io.

A Il mio numero di telefono è ...

In banca

A Vorrei cambiare ...

A Quant'è il cambio del ...?

A Potrebbe darmi dei biglietti da ...?

SALUTE

A casa

1	**Carlo**	Come stai?
	Paola	Non molto bene.
	Carlo	Che cos'hai?
	Paola	Ho mal di testa.
2	**Janie**	Come stai?
	Roberto	Non molto bene.
	Janie	Che cos'hai?
	Roberto	Ho mal di gola.

Dal dottore

3	**Dottore**	Dove ha male?
	Paola	Ho un dolore qui, alla spalla.
	Dottore	Da quanto tempo?
	Paola	Da una settimana.

Al telefono

4	**Dottoressa**	Pronto!
	Sig. Martini	Pronto, dottoressa? Sono il signor Martini.
	Dottoressa	Mi dica.
	Sig. Martini	Non sto molto bene. Penso di avere l'influenza.
	Dottoressa	Che disturbi ha?
	Sig. Martini	Ho la febbre a 38, mal di testa e mal di stomaco.
	Dottoressa	Da quanto tempo ha questi sintomi?
	Sig. Martini	Da questa mattina.
	Dottoressa	Non si preoccupi, si metta a letto e riposi; verrò il più presto possibile.

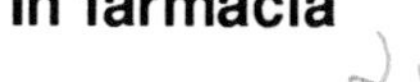

In farmacia

5	**Silvia**	Buongiorno!
	Farmacista	Buongiorno! Mi dica.
	Silvia	Vorrei qualcosa per le punture d'insetti.
	Farmacista	Applichi questa pomata da due a quattro volte al giorno.
6	**Roberto**	Buongiorno! Vorrei dello sciroppo per la tosse.
	Farmacista	Ecco a Lei.
	Roberto	Mi può dire quanto ne devo prendere?
	Farmacista	Ne prenda un cucchiaio prima dei pasti.

In questura

7

Poliziotto	Che cos'è successo?
Maria	C'è stato un incidente.
Poliziotto	Dove?
Maria	Vicino alla mia scuola, un'ora fa.
Poliziotto	Com'è successo?
Maria	Un autotreno ha tamponato un furgone.
Poliziotto	Ci sono dei feriti?
Maria	No, per fortuna i conducenti non si sono fatti niente.
Poliziotto	E il furgone?
Maria	Il furgone ha subito gravi danni al paraurti e alla portiera.

Al telefono

8

Valerio	Pronto! 113?
Poliziotto	Sì! Dica!
Valerio	C'è stato un incidente.
Poliziotto	Dove?
Valerio	Davanti alla stazione.
Poliziotto	Ci sono dei feriti?
Valerio	Sì, uno... e perde molto sangue...
Poliziotto	Ha già chiamato l'ambulanza?
Valerio	Sì, ho telefonato all'ospedale.
Poliziotto	Bene, arriviamo subito.

LEGGERE

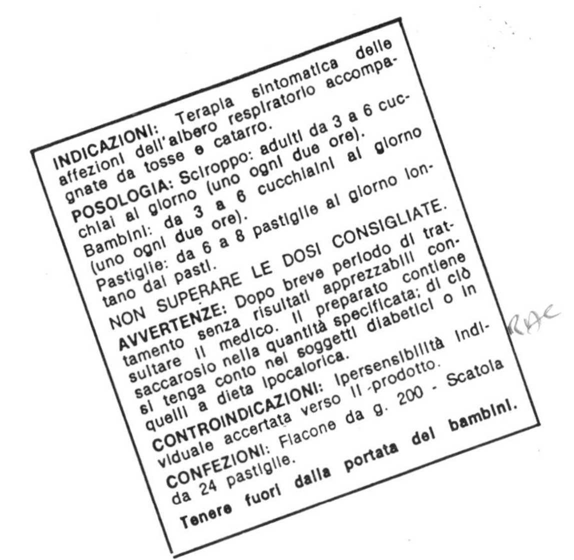

INDICAZIONI: Terapia sintomatica delle affezioni dell'albero respiratorio accompagnate da tosse e catarro.
POSOLOGIA: Sciroppo: adulti da 3 a 6 cucchiai al giorno (uno ogni due ore).
Bambini: da 3 a 6 cucchiaini al giorno (uno ogni due ore).
Pastiglie: da 6 a 8 pastiglie al giorno lontano dai pasti.
NON SUPERARE LE DOSI CONSIGLIATE.
AVVERTENZE: Dopo breve periodo di trattamento senza risultati apprezzabili consultare il medico. Il preparato contiene saccarosio nella quantità specificata; di ciò si tenga conto nei soggetti diabetici o in quelli a dieta ipocalorica.
CONTROINDICAZIONI: Ipersensibilità individuale accertata verso il prodotto.
CONFEZIONI: Flacone da g. 200 - Scatola da 24 pastiglie.
Tenere fuori dalla portata dei bambini.

FENGEL®

Proprietà
Il principio attivo di FENGEL è il maleato di dimetindene, sostanza dotata di spiccata attività antistaminica ed antipruriginosa; la sua efficacia terapeutica si manifesta rapidamente già dalla prima applicazione.
Il particolare eccipiente, un gel «idrico» incolore e inodore, consente al principio attivo del FENGEL di esplicare la sua azione terapeutica attraverso una buona penetrazione cutanea, fornendo nello stesso tempo al paziente una gradevole sensazione di freschezza.

Indicazioni
Uso temporaneo nel caso di: punture di insetti ed altri fenomeni irritativi cutanei localizzati quali rossore, bruciore e prurito.

Posologia
2–4 applicazioni giornaliere.
Non superare le dosi consigliate.

Controindicazioni
Ipersensibilità individuale accertata verso il prodotto.

Avvertenze
Il FENGEL non è indicato per l'uso oftalmico.
Evitare ogni esposizione prolungata al sole delle regioni trattate.
L'uso prolungato e incongruo del prodotto può dare origine a fenomeni di sensibilizzazione allergica con conseguente peggioramento della sintomatologia. In tal caso è necessario interrompere il trattamento e consultare il medico al fine di istituire una terapia idonea.
Se dopo qualche giorno di cura non si dovesse realizzare un miglioramento, sarà opportuno consultare il medico.
Evitare l'applicazione su zone di cute con vescicole, su piaghe vive o su superfici essudanti.

Confezione
Tubo da 30 g di FENGEL allo 0,1% di maleato di dimetindene.

Tenere fuori dalla portata dei bambini.

La data di scadenza indicata si riferisce al prodotto in confezionamento integro, correttamente conservato

Zyma S.p.A., Saronno (Varese)
Officina consortile di Milano

Rispondi alle seguenti domande.

1
- **a** Come sta Paola? *Non molto bene*
- **b** Che cos'ha? *Ha mal di testa.*

2
- **a** Che cos'ha Roberto? *Roberto ha mal di gola*

3
- **a** Dove ha male Paola? *Paola ha male alla spalla*
- **b** Da quanto tempo ha quel dolore? *Da una settimana*

4
- **a** A chi telefona il signor Martini? *Signor Martini telefona a dottoressa*
- **b** Che cosa pensa di avere il signor Martini? *Pensa di avere l'influenza*
- **c** Che disturbi ha? *Ha la febbre a trentotto.*
- **d** Da quanto tempo ha quei sintomi? *Da questa mattina*
- **e** Che cosa deve fare? *Non si preoccupi, si metta a letto e riposi; verrò il più presto possibile*

5
- **a** Che cosa vuole Silvia? *Vuole qualcosa per le punture d'insetti*
- **b** Quali sono le istruzioni? *Applichi questa pomata da due a quattro volte al giorno.*

6
- **a** Che cosa vuole Roberto? *Roberto vuole dello sciroppo per la tossa*
- **b** Quanto ne deve prendere? *Ne prenda un cucchiaio*
- **c** Quando lo deve prendere? *Prima dei pasti*

7
- **a** Che cosa è successo?
- **b** Dove?
- **c** Quando?
- **d** Come è successo?
- **e** Come stanno i conducenti?
- **f** Che danni ha subito il furgone?

8
- **a** Quante telefonate ha fatto Valerio?
- **b** A chi ha telefonato?
- **c** Che cosa è successo?
- **d** Dove?
- **e** Che cosa dice Valerio della persona ferita?

chiamate di **EMERGENZA** e servizi di pubblica utilità

Soccorso pubblico di emergenza **113** **in caso di pericolo alle persone o di gravi calamità e qualora non sia possibile chiamare direttamente l'ente interessato**

VERBI RIFLESSIVI [7.15]

SVEGLIARSI

	PRESENTE		PASSATO PROSSIMO	
(io)	**mi**	sveglio	**mi**	sono svegliato/a
(tu)	**ti**	svegli	**ti**	sei svegliato/a
(lui,lei,Lei)	**si**	sveglia	**si**	è svegliato/a
(noi)	**ci**	svegliamo	**ci**	siamo svegliati/e
(voi)	**vi**	svegliate	**vi**	siete svegliati/e
(loro)	**si**	svegliano	**si**	sono svegliati/e

VEST|IRSI| Take away then Add endings for ARE - ERE - IRE

Esercizio 1 [7.15]

Completa con il presente.

Esempio: (Tu) Di solito a che ora......*ti svegli*..........? SVEGLIARSI TO WAKE UP

1 Luigi ...SI AMMALA.......... ogni inverno. AMMALARSI TO GET ILL
2 Io non ...MI ASCIUGO............ mai i capelli. never ASCIUGARSI TO DRY ONESELF
3 (Tu) ...TI FAI LA BARBA... tutti i giorni? FARSI LA BARBA TO SHAVE
4 Io ...MI LAVORO......... i capelli tutti i giorni. LAVARSI TO WASH
5 Lui ...SI ARRABIA....... sempre! ARRABBIARSI TO GET ANGRY
6 Oggi (io) non ...MI SENTO............ bene. SENTIRSI TO HEAR
7 (Tu) ...TI PREOCCUPI......... troppo! PREOCCUPARSI TO WORRY ABOUT
8 Di solito (io) ...MI ALZO............ alle sette. ALZARSI TO GET UP
9 Di solito (lei) ...SI VESTE............ con eleganza. VESTIRSI TO GET DRESSED
10 (Noi) ...CI DIVERTIAMO...... molto in Italia. DIVERTIRSI TO ENJOY YOURSELF

Remember verb endings to do this exercise

Esercizio  [7.15]

Completa con il passato prossimo.

Esempio: (Tu) A che ora ......*ti sei alzato*......... ieri? ALZARSI

1 Durante le vacanze Carlo ...SI È AMMALATO........ AMMALARSI
2 Giovanna non ...SI È ASCIUGATA...... le mani. ASCIUGARSI
3 Ieri noi ...CI SIAMO CORICARTI... molto tardi. CORICARSI
4 (Io) questa mattina non ...MI SONO FATTO LA BARBA... FARSI LA BARBA
5 Ieri Silvana e Gabriella non ...SI SONO DIVERTITE... DIVERTIRSI
6 È colpa sua. Non ...SI È FERMATO......... allo stop. FERMARSI
7 Quando (tu) ...TI SEI FATTO MALE? FARSI MALE
8 (Loro) non ...SI SONO SCUSATI... per il ritardo. SCUSARSI
9 Ieri sera (io) ...MI SONO SENTITO... male. SENTIRSI
10 Ieri la professoressa ...SI È ARRABBIATA... ARRABBIARSI

Esercizio  [7.11]

Completa con il congiuntivo.

Esempio: (Lui) aspetta il medico. **Penso che** lui ....*aspetti*........... il medico.

1	Antonella soffre molto.	**Credo che** Antonella ....soffri.... molto.
2	(Loro) aspettano il medico.	**Penso che** .... il medico.
3	Io telefono al Consolato.	**Bisogna che** io .... al Consolato.
4	(Lui) abita ancora a Roma.	**Credo che** lui .... ancora a Roma.
5	L'ambulanza arriva subito.	**Spero che** l'ambulanza .... subito.
6	Claudio guida con attenzione.	**È meglio che** Claudio .... con attenzione.
7	Il dottore non parla l'inglese.	**È un peccato che** il dottore non......................... .l'inglese.
8	(Io) non conosco l'italiano.	**È un peccato che** io non .... l'italiano.
9	(Lui) non prende troppe medicine.	**Spero che** lui non .... troppe medicine.
10	(Loro) non capiscono il problema.	**Ho paura che** non .... .il problema.

Esercizio  [7.11]

Completa con il congiuntivo (verbi irregolari).

1	(Lei) sta bene.	**Spero che** lei .... bene.
2	(Loro) stanno meglio.	**Spero che** loro .... meglio.
3	(Tu) hai ragione.	**Dubito che** tu .... ragione.
4	Antonella è ammalata.	**Penso che** Antonella .... ammalata.
5	(Loro) sono ammalati.	**Penso che** loro .... ammalati.
6	Marco ha mal di testa.	**Credo che** Marco .... mal di testa.
7	(Loro) hanno il raffreddore.	**Credo che** loro .... il raffreddore.
8	Il medico non può venire.	**Temo che** il medico non .... venire.
9	Mio fratello oggi va dal dentista.	**Penso che** mio fratello oggi............................ dal dentista.
10	Viene anche mia sorella.	**Spero che** .... anche mia sorella.

Esercizio  [7.12]

Trasforma come nell'esempio.

	"tu"	"Lei"
Esempio:	Accomodati!	Si accomodi!
1	Scusami!	....!
2	Fermati!	....!
3	Alzati!	....!
4	Chiamalo!	....!
5	Telefonagli!	....!
6	Preparati!	....!
7	Svegliala!	....!
8	Prendilo!	....!
9	Salutamela!	....!
10	Diglielo!	....!

Esercizio  [7.12]

Trasforma come negli esempi.

	"tu"	"Lei"
Esempi:	Non parlare a voce alta!	Non parli a voce alta!
	Non fermarti in curva!	Non si fermi in curva!

1 Non scrivere sul libro! ....!
2 Non bruciarti con quella pentola! ....!
3 Non farti male con il martello! ....!
4 Non tagliarti con il coltello! ....!
5 Non arrabbiarti sempre! ....!
6 Non attraversare con il rosso! ....!
7 Non mettere le medicine sul tavolo! ....!
8 Non protestare continuamente! ....!
9 Non sorpassare in curva! ....!
10 Non aspettare fuori! ....!

Esercizio  [7.12]

Trasforma come nell'esempio.

Esempio: Prendi la medicina! Prendi**la**!

1 Chiama il poliziotto! ....!
2 Compra le medicine! ....!
3 Aspetta tua sorella! ....!
4 Sorpassa la bicicletta! ....!
5 Prendi lo sciroppo! ....!
6 Segui le istruzioni! ....!
7 Aspetta le tue amiche! ....!
8 Disinfetta la ferita! ....!
9 Compila il modulo! ....!
10 Avverti i familiari! ....!

Esercizio  [7.12]

Volgi alla seconda persona singolare.

	"voi"	"tu"
Esempio:	Andate piano.	Va' piano!

1 Fate silenzio! ....!
2 Dite la verità! ....!
3 State attenti! ....!

Esercizio  [7.12]

Volgi dal "tu" al "Lei" le frasi dell'esercizio precedente.

Esempio: Va' piano! Vada piano!

Esercizio 

Trova i contrari delle parole sottolineate.

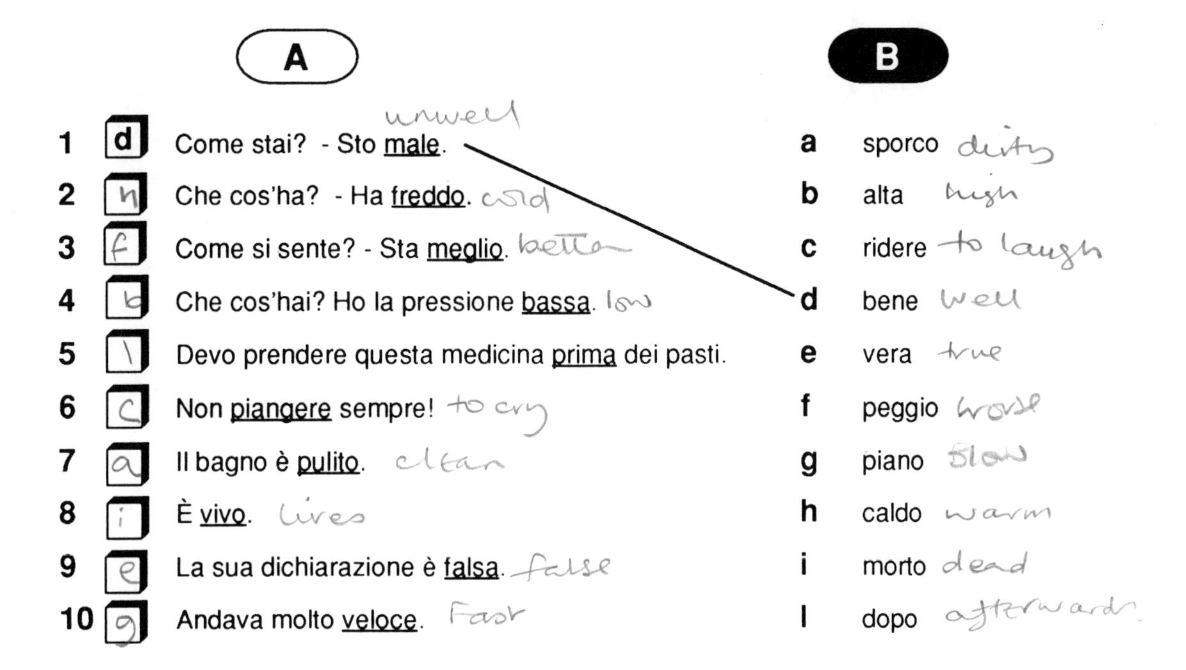

A		B
1	Come stai? - Sto male.	a sporco
2	Che cos'ha? - Ha freddo.	b alta
3	Come si sente? - Sta meglio.	c ridere
4	Che cos'hai? Ho la pressione bassa.	d bene
5	Devo prendere questa medicina prima dei pasti.	e vera
6	Non piangere sempre!	f peggio
7	Il bagno è pulito.	g piano
8	È vivo.	h caldo
9	La sua dichiarazione è falsa.	i morto
10	Andava molto veloce.	l dopo

Esercizio 

Fai le domande.

UN INCIDENTE

1	Che cos' è successo?	C'è stato un incidente.
2	....................................?	Una macchina ha investito un pedone.
3	....................................?	Davanti al municipio.
4	....................................?	Questa mattina.
5	....................................?	Alle 18.50.

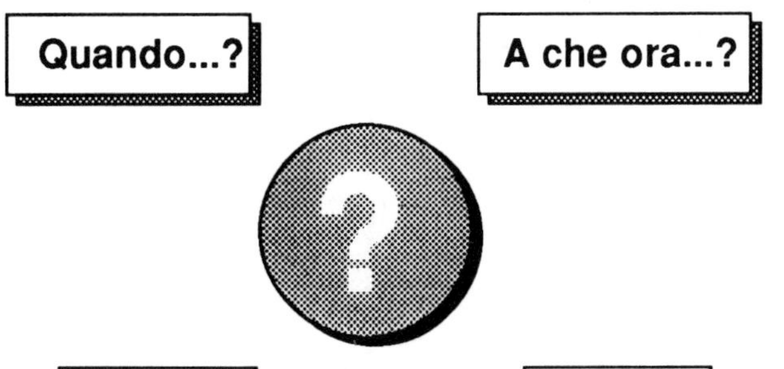

WORDSEARCH

A) Sai qual è l'augurio per chi deve sostenere un esame?

Chiave (2, 5, 2, 4) ....

..........bocca	..........occhio
..........braccio	..........orecchio
..........capelli	..........pelle
..........caviglia	..........piede
..........collo	..........sangue
..........cuore	..........schiena
..........denti	..........spalla
..........dito	..........stomaco
..........fegato	..........testa
..........gamba	..........viso
..........ginocchio	
..........lingua	
..........mano	

O	L	L	O	C	C	U	O	R	E	I	I
S	G	A	M	B	A	A	T	S	E	T	T
I	P	O	N	A	M	S	B	O	L	O	N
V	I	A	I	N	C	I	O	I	I	A	E
S	E	D	L	H	L	B	C	H	N	I	D
T	D	O	I	L	C	C	C	C	G	L	C
O	E	E	E	T	A	C	A	C	U	G	P
M	N	P	A	A	O	L	E	O	A	I	E
A	A	S	A	N	G	U	E	R	D	V	L
C	U	O	I	C	C	A	R	B	O	A	L
O	P	G	F	E	G	A	T	O	O	C	E

B) Completa con gli articoli la lista delle parole sopraelencate.

Fai attenzione ai seguenti plurali irregolari: il braccio/le braccia; il dito/le dita, la mano/le mani, l'occhio/gli occhi.

FARMACIA DI TURNO
Farmacia GALASSO

SOLO SE IN POSSESSO DI RICETTA MEDICA URGENTE TELEFONARE AL 495987.

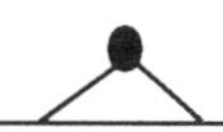

ORARIO

Mattino:

8.30 - 12.30

Pomeriggio:

15.30 - 19.30

CARABINIERI Pronto Intervento		1 12
POLIZIA Questura Centrale Polizia Stradale		6 19 44 6 23 62
POLIZIA MUNICIPALE Pronto Intervento		2 47 31
PRONTO SOCCORSO AUTOAMBULANZE		2 02 34 / 6 49 39
VIGILI DEL FUOCO Chiamate di soccorso		1 15

- **PRONTI ...VIA! THE ITALIAN HANDBOOK**

Tabelle sostitutive:	
• Salute e benessere personale	p. 136
• Malattie e incidenti	p. 139
• In farmacia	p. 142
• Incidenti stradali	p. 146
Informazioni: Farmacie e salute	p. 144
Come descrivere un incidente	p. 145

- **A NEW STYLE ITALIAN GRAMMAR**
  Strutture grammaticali

Congiuntivo presente [7.11]	Esercizi 3, 4
Imperativo [7.12]	Esercizi 5,6,7,8,9
Verbi riflessivi [7.15]	Esercizi 1, 2

Vocabolario - Salute

Malattie	pp. 83-84
Incidenti	pp. 84-86
Abbreviazioni	p. 86

Verbi

(Salute e benessere personale) aver mal di, ammalarsi, asciugarsi, coricarsi, dormire, fare la doccia, farsi la barba, lavarsi, rilassarsi, stare bene;
(Malattie e incidenti) annegare, bruciarsi, cadere, consigliare, farsi male, guarire, ingessare, mordere, morire, piangere, preoccuparsi, riposarsi, rompersi il braccio, sanguinare, sentirsi, soffrire, tagliarsi, vomitare;
(Incidenti stradali) avere, accusare, arrabbiarsi, aspettare, attraversare, avvertire, bruciare, cadere, chiamare, condurre, dichiarare, fermarsi, girare, gridare, guardare, informare, investire, mettere, passare, protestare, rallentare, riempire, riparare, rispettare, rovesciarsi, sbrigarsi, scusare, scusarsi, sorpassare, telefonare, uccidere, vedere, volere.

Fraseologia essenziale

A Come stai?
B (Sto) bene/male.

A Che cos'hai?
B Ho mal di denti/gola ...

A Aiuto!
A Al fuoco!
A Non toccare!
A Ho bisogno di un dottore/dentista.
A Bisogna chiamare il 113/la polizia ...
A C'è stato un incidente.
A È colpa sua!
A Non è colpa mia!
A Mi dispiace, non l'ho visto!
A Non è vero!
A Vuole fare da testimone?

TEMPO LIBERO

1

Maria Qual è il tuo passatempo preferito?
Carlo La fotografia.
Maria Che cosa ti piace fotografare?
Carlo Soprattutto i paesaggi.

2

Maria Che cosa fai di solito la sera?
Carlo Guardo la televisione o leggo qualche libro.
Maria Ti piace leggere?
Carlo Sì, abbastanza.

3

Maria Che tipo di musica preferisci?
Carlo La musica pop.
Maria Qual è il tuo cantante preferito?
Carlo Senz'altro Riccio! È il mio idolo!

4

Enrica Che cosa fai durante il fine settimana?
Massimo Dipende, spesso vado a ballare con i miei amici.
Enrica Non vai mai ai concerti?
Massimo Sì, qualche volta.

5

Enrica Pratichi qualche sport?
Massimo Sì, faccio corsa e salto in alto.
Enrica Hai partecipato a qualche gara?
Massimo Sì, l'anno scorso ho fatto i cento metri.
Enrica E come è andata?
Massimo Sono arrivato secondo.

6

Roberto Che tipo di film preferisci?
Paola Mi piacciono i film comici.
Roberto Perché?
Paola Mah! ... Perché mi divertono.

7

Roberto Ti è piaciuto l'ultimo film di Bertolucci?
Paola Non molto.
Roberto Come mai?
Paola Era troppo lungo e noioso.

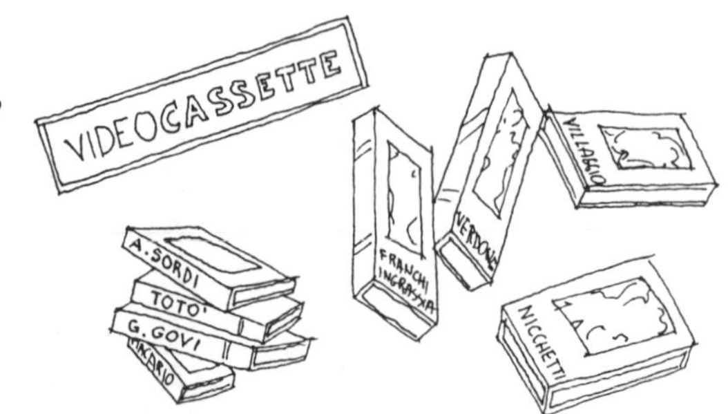

Al cinema

8

SILVIA — A che ora inizia il prossimo spettacolo?
IMPIEGATO — Comincia alle otto.
SILVIA — E quanto dura?
IMPIEGATO — Un'ora e cinquanta.

9

SILVIA — Vorrei un biglietto.
IMPIEGATO — Per la platea o la galleria?
SILVIA — Quanto costa in galleria?
IMPIEGATO — Diecimila lire.
SILVIA — Va bene. Ecco a Lei.

Rispondi alle seguenti domande.

1
- **a** Qual è il passatempo preferito di Carlo?
- **b** Che cosa gli piace fotografare?

2
- **a** Che cosa fa di solito Carlo la sera?
- **b** Gli piace leggere?

3
- **a** Che tipo di musica preferisce Carlo?
- **b** Qual è il suo cantante preferito?

4
- **a** Che cosa fa Massimo durante il fine settimana?
- **b** Va spesso ai concerti?

5
- **a** Quali sport pratica Massimo?
- **b** A quale gara ha partecipato?
- **c** Come è andata?

6
- **a** Che tipo di film piacciono a Paola?
- **b** Perché?

7
- **a** È piaciuto a Paola l'ultimo film di Bertolucci?
- **b** Perché?

Al cinema

8
- **a** A che ora inizia lo spettacolo?
- **b** Quanto tempo dura?

9
- **a** Che biglietto compra Silvia?
- **b** Quanto paga?

Esercizio  [7.4]

Volgi al passato prossimo come nell'esempio.

Esempio: Che cosa fai di solito **la sera**? **Guardo** la televisione.
Che cosa hai fatto **ieri sera**? **Ho guardato** la televisione.

1. Che cosa fai di solito la sera? Ascolto musica classica.
   ....
2. Che cosa fai di solito la sera? Esco con gli amici.
   ....
3. Che cosa fai di solito la sera? Leggo un libro.
   ....
4. Che cosa fai di solito la sera? Gioco a carte.
   ....
5. Che cosa fai di solito la sera? Faccio i compiti.
   ....
6. Che cosa fai di solito la sera? Vado al bar.
   ....
7. Che cosa fai di solito la sera? Ripasso le lezioni.
   ....
8. Che cosa fai di solito la sera? Scrivo ai miei amici.
   ....
9. Che cosa fai di solito la sera? Non faccio niente di particolare.
   ....

Esercizio  [7.6]

Volgi al futuro le frasi dell'esercizio precedente.

Esempio: Che cosa farai **domani sera**? **Guarderò** la televisione.

1. ....
2. ....
3. ....
4. ....
5. ....
6. ....
7. ....
8. ....
9. ....

Esercizio 3

A) Intervista cinque compagni e compila la tabella con le seguenti sigle:

S = spesso **Q** = qualche volta **M** = mai.

often sometimes never there

Esempio: **A** Vai spesso a ballare?

B No, non **ci** vado mai! — No I never go there

B Sì, **ci** vado spesso! — Yes I go there often

B Qualche volta! — Sometimes

NOMI	a ballare?	a cavallo?	a giocare a ...?	a pescare?	a teatro?	a trovare i parenti?	a trovare gli amici?	al cinema?	al ristorante?	al mare?	al club?	ai concerti?	in discoteca?	in montagna?
1. Carlo	Q	S	M	S	S	Q	Q	M	S	S	M	M	Q	Q
2. Io	M	M		M	Q	Q	S	Q	Q	M	Q	Q	M	
3 Jenny		M			Q		Q		Q					
4 Steph			Tennis M		M	Q	S	S		S		Q	S	
5														
6														

Twice a month — Due volte al mese una volta all'anno — once a year

Quasi mai — almost never

Poche volte — seldom

B) (In coppia)

Inventate almeno tre dialoghi, usando le seguenti parole o espressioni:

- **quasi mai, sempre;**
- **ogni giorno, ogni settimana, ogni mese, ogni anno;**
- **una volta al giorno/alla settimana/al mese/all'anno;**
- **due volte al giorno ...**

Esercizio 4 [5]

Trasforma come negli esempi.

le le
gli gli gli
mi ti
ci vi
gli

Esempi: A me piace la musica. **Mi** piace la musica.
A Paola piace la musica. **Le** piace la musica.

1 A me piace collezionare francobolli. ....
2 A te piace l'elettronica? ....
3 A lui piace il modellismo. ....
4 A lei piace suonare la chitarra. ....
5 A Lei, professore, piace passeggiare? ....
6 A noi piace giocare a tennis. ....
7 A voi piace giocare a schacchi? ....
8 A loro piace la danza classica. ....
9 Ai miei amici piace ballare. ....
10 A Carlo piace la fotografia. ....

Esercizio 5

Collega le domande con le risposte.

1 ☐ Ti è piaciuto il film di Fellini?
2 ☐ A Maria è piaciuta la commedia di Goldoni?
3 ☐ A Mario è piaciuta la commedia di Dario Fo?
4 ☐ Professore, Le è piaciuto il libro di Umberto Eco?
5 ☐ Vi sono piaciute le canzoni del Festival di San Remo?

a Mi è piaciuto moltissimo.
b Gli è piaciuta moltissimo.
c Mi è piaciuto moltissimo.
d Ci sono piaciute moltissimo.
e Le è piaciuta moltissimo.

Esercizio 6

Collega le parole con le figure.

1 ☐ calcio
2 ☐ salto in alto
3 ☐ salto con l'asta
4 ☐ pallacanestro
5 ☐ corsa a ostacoli
6 ☐ cento metri
7 ☐ nuoto
8 ☐ lancio del peso
9 ☐ lancio del disco

a b c d e f g h i

Esercizio 

Completa e rispondi alle domande.

1. Ti piace l'art_ moderna? ....
2. Vai spesso al cinem_? ....
3. Conosci una canzon_ di Natale? ....
4. Hai mai fatto collezion_ di francobolli? ....
5. Hai mai letto un giornal_ italiano? ....
6. Ascolti spesso la radi_? ....
7. Guardi spesso la television_? ....
8. Sai suonare il pianofort_? ....
9. Conosci un cantant_ italiano? ....
10. Sai chi è il regist_ del film "La Dolce Vita"? ....

Esercizio (in coppia) 

Intervista il compagno e scrivi una breve relazione in base alle risposte.

Domande:

1. Qual è il tuo passatempo preferito? ....
2. Che cosa ti piace leggere? ....
3. Che tipo di musica preferisci? ....
4. Quali sono i programmi televisivi che preferisci? ....
5. Vai spesso al cinema? ....
6. Che tipo di film ti piace? ....
7. Pratichi qualche sport? ....
8. Hai mai partecipato a qualche competizione? ....
9. Che cosa fai di solito il sabato sera? ....
10. Che cosa fai di solito la domenica? ....

Esempio:

Il passatempo preferito di Carlo è la fotografia, però gli piace molto leggere e ascoltare la musica, soprattutto quella pop.
I suoi programmi televisivi preferiti sono i documentari sulla natura e lo sport.
A Carlo piace moltissimo lo sport: gioca a calcio e fa salto in alto. L'anno scorso ha partecipato ad una competizione di salto in alto ed è arrivato terzo.
Carlo va al cinema una volta alla settimana; i suoi film preferiti sono quelli di fantascienza.
Il sabato sera di solito va a ballare e la domenica va a trovare gli amici.

Esercizio 

Volgi dal "tu" al "Lei" le domande dell'esercizio precedente.

Esempi: - Qual è il Suo passatempo preferito? - Che cosa Le piace leggere?

I PROGRAMMI DI OGGI

RAIUNO

MATTINO

Telegiornale: 7; 8; 9; 10; 11; 12; 13,30; 18; 20; 22,45; 24

6,55-10,15 Unomattina, con Livia Azzariti e Puccio Corona

10,15 Trent'anni della nostra storia, conduce Paolo Frajese, *Verso i nostri giorni: 1978*

11,05 Padri in prestito, telefilm

11,40 Occhio al biglietto

11,55 Che tempo fa

12,05 Piero Badaloni, Simona Marchini e Toto Cutugno presentano **Piacere Raiuno**

POMERIGGIO

13,55 TG 1 - Tre minuti di...

14 — Il mondo di Quark, di Piero Angela

14,30 Speciale DSE - La tigre dei due fiumi

15,30 L'albero azzurro, per i più piccini

16 — Big! Varietà per ragazzi con Giorgia Pini, Emilio Levi, Giorgia Passeri

17,35 Spazio libero

17,55 Oggi al Parlamento

18,05 Italia ore 6. Di Emanuela Falcetti. Regia di Renato Casali

RAIDUE

Telegiornale: 11,50; 13; 17; 19,45; 23,15

7 - 8 La mia terra tra i boschi, telefilm. **Braccio di Ferro,** cartoni animati. **Lassie**, telefilm

8,30 Mr. Belvedere, telefilm

9 — Radio anch'io di Gianni Bisiach

10,20 DSE - Inglese e francese per bambini, **Playtime e Viens jouer avec nous**

10,50 Destini, serie tv

11,55 I fatti vostri

13,15 Tg 2 - Diogene, dalla parte delle donne

13,30 Tg 2 - Trentatré

13,45-15,15 Supersoap - Beautiful, serie tv - **Quando si ama**

15,15-15,30 Detto tra noi. Tua. Bellezza e dintorni

15,30 Roma. 59° Concorso ippico internazionale di Roma (C.S.I.O.). Coppa delle Nazioni

18,20 Tg 2 - Sportsera

RAITRE

Telegiornale: 14; 19; 19,30; 22,45; 24

11 — Agrigento. **Calcio a 5: torneo internazionale**

12 — DSE - Il circolo delle 12 - Prove F.1 Automobilismo di S. Marino

14,30 TG 3 - Pomeriggio

14,40 DSE - La lampada di Aladino

15,40 Roccagiovine. **Ciclismo: Giro delle Regioni**. 1°. Guidonia-Roccagiovine

16,30 Enna. Pallamano: Enna-Ortigia. Play off

17,10 Schegge

17,20 Vita da strega, telefilm

17,50 Giornali e Tv estere. In studio G. Fiesca

18 — Speciale Geo. Di Luigi Villa, Gigi Grillo. *Cappadocia*

18,35 Schegge di radio a colori

ITALIA 1

RETE 4

Cinema Centrale

PROGRAMMA
DAL 15 AGOSTO AL 12 SETTEMBRE

APERTURA:
feriali ore 20.15 circa
mercoledì e domenica ore 16.00 circa
ultimo spettacolo ore 22.30
al termine degli spettacoli i trailers di tutti i film della prossima stagione
servizio segreteria telefonica

ARIA CONDIZIONATA
Locale dotato di impianto DOLBY STEREO
Cinema associato A.I.A.C.E.

Parcheggio consigliato: Piazza Duomo

Cinema Centrale

Via F. Cascione 52 - 18100 Imperia - Tel. 0183/63871

RAI RADIO TELEVISIONE ITALIANA

RADIO RAI È SPORT

Chi non conosce Tutto il calcio minuto per minuto, il supercampione della domenica? Ma il pallone non è solo quello del calcio: le radiocronache si allargano ai campionati di pallacanestro, pallavolo, pallanuoto. Dal Giro d'Italia ai campi da tennis, dalle piste di sci agli ippodromi, i microfoni di Radio Rai vi portano dentro tutte le competizioni sportive.

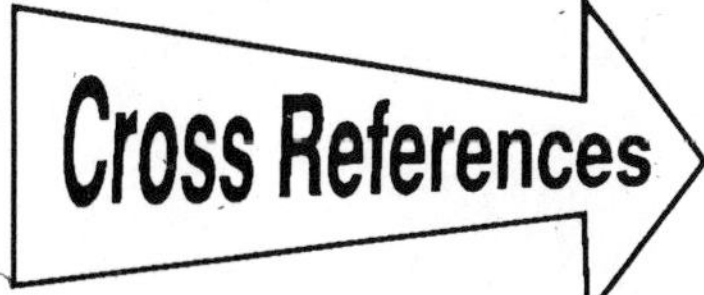

- **PRONTI...VIA! THE ITALIAN HANDBOOK**

Tabelle sostitutive:

• Tempo libero	p. 148
Sport	p. 155
Informazioni: I musei	p. 157

- **A NEW STYLE ITALIAN GRAMMAR**
  Strutture grammaticali

Futuro [7.6]	Esercizio 2
Passato prossimo [7.4]	Esercizio 1
Pronomi [5]	Esercizio 4

Vocabolario - Tempo libero e divertimenti

Tempo libero e divertimenti.	p. 86

Verbi

andare, annoiarsi, ascoltare, ballare, camminare, cantare, collezionare, fare, giocare, guardare, leggere, nuotare, partecipare, pattinare, pescare, piacere, preferire, ridere, sciare, tuffarsi, uscire.

Fraseologia essenziale

A Qual è il tuo passatempo preferito?

A Che cosa fai nel tempo libero?

A Che cosa fai di solito ...?

A Che cosa ti piace leggere?

A Che tipo di musica preferisci?

A Pratichi qualche sport?

A Ti piace ...?

A Ti piacciono ...?

13 RAPPORTI CON GLI ALTRI

1

DAVID Capisci tutto, quando parli con il professore?
KATHY Sì, capisco quasi tutto.

2

KATHY Hai capito l'annuncio?
DAVID No, non ho capito quasi niente.

DAVID E KATHY INCONTRANO MARIA E CARLO A CERVO, IN LIGURIA.

3

CARLO Parli italiano?
KATHY Abbastanza.
CARLO Come l'hai imparato?
KATHY L'ho studiato per sei mesi a scuola, a Londra.

QUESTA E' MARIA

4

CARLO Questa è Maria.
KATHY Piacere, io mi chiamo Kathy.
MARIA Di dove sei?
KATHY Sono di Londra. E tu?
MARIA Io sono di Salerno.
KATHY Dove si trova Salerno?
MARIA Nel sud Italia, vicino a Napoli.

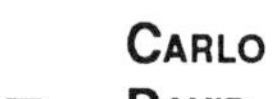

5

CARLO Ciao, mi chiamo Carlo.
DAVID Ciao, io sono David.
CARLO Sei inglese?
DAVID Sì, sono di Abingdon, vicino a Oxford.

6

CARLO Conosci l'italiano?
DAVID Non molto bene.
CARLO Da quanto tempo lo studi?
DAVID Da tre mesi.

7

CARLO Sai come si dice 'welcome' in italiano?
DAVID Si dice 'benvenuto'.
CARLO E che cosa vuol dire 'amico'?
DAVID Beh, è facile! Vuol dire 'friend'.

8

CARLO	Hai molti amici in Italia?
DAVID	Sì, soprattutto a Genova.
CARLO	E come sono?
DAVID	Sono molto simpatici e ospitali.
CARLO	Parli italiano con loro?
DAVID	No, purtroppo vogliono parlare sempre in inglese.

9

KATHY	Sei membro di qualche club?
CARLO	Sì, sono iscritto al Circolo velico.
KATHY	Che cosa fate?
CARLO	Organizziamo gare, feste, escursioni e molte altre attività.

10

CARLO	Che cosa vuoi fare stasera?
KATHY	Mah! Non so ancora ...
CARLO	Ti va di andare al cinema?
KATHY	Sì, è una magnifica idea!

ooo

11

MARIA	Vuoi venire al cinema con noi?
DAVID	Volentieri. Che cosa danno?
MARIA	Un film di fantascienza.
DAVID	Va bene. A che ora ci vediamo?
MARIA	Ci potremmo incontrare alle nove, davanti al cinema.
DAVID	Sì, d'accordo. Ciao, a più tardi.

12

DAVID	Questo disco è per te.
MARIA	Grazie! Anch'io ho un piccolo regalo per te: è l'ultima cassetta del tuo cantante preferito.
DAVID	Ma non dovevi disturbarti!
MARIA	È solo un pensierino.

Rispondi alle seguenti domande.

1
- **a** Kathy capisce tutto, quando parla con il professore?

2
- **a** David ha capito l'annuncio?

3
- **a** Kathy parla bene l'italiano?
- **b** Dove l'ha studiato?
- **c** Per quanto tempo l'ha studiato?

4
- **a** Di dov'è Kathy?
- **b** Di dov'è Maria?
- **c** Dove si trova la sua città?
- **d** Vicino a quale grande città si trova?

5
- **a** Di che nazionalità è David?
- **b** Di dov'è?

6
- **a** David conosce bene l'italiano?
- **b** Da quanto tempo lo studia?

7
- **a** Come si dice "benvenuto" in inglese?
- **b** Come si dice "amico" in inglese?

8
- **a** In che città vive la maggior parte degli amici italiani di David?
- **b** Come sono i suoi amici italiani?
- **c** Che lingua parla con loro?
- **d** Perché?

9
- **a** Di quale club è membro Carlo?
- **b** Quali attività organizzano?

10
- **a** Kathy ha già deciso che cosa fare?
- **b** Che cosa pensa Kathy del suggerimento di Carlo?

11
- **a** David è contento di andare al cinema?
- **b** Che genere di film vanno a vedere?
- **c** Dove si incontreranno?
- **d** A che ora?

12
- **a** Che cosa regala David a Maria?
- **b** Che cosa regala Maria a David?

Esercizio  [13]

Leggi i dialoghi introduttivi e completa la tabella con le parole o le frasi che esprimono le seguenti funzioni comunicative:

presentarsi	..........*Mi chiamo*.......... ....
presentare qualcuno	....
rispondere alla presentazione	....
ringraziare	....
proporre di fare qualcosa insieme	....

Esercizio  [13]

Collega le parole della colonna A con le frasi della colonna B.

		A		**B**
1	☐	Buongiorno!	a	Si usa come saluto nel tardo pomeriggio o la sera.
2	☐	Buonasera!	b	Si usa come saluto amichevole, incontrandosi o lasciandosi.
3	☐	Buonanotte!	c	Si usa come saluto, lasciandosi.
4	☐	Arrivederci!	d	Si usa come saluto per lo più il mattino o nel pomeriggio.
5	☐	Arrivederla!	e	Si usa come saluto di solito, lasciandosi a tarda sera o prima di andare a letto
6	☐	Ciao!	f	Si usa come saluto, lasciandosi (formale).

Esercizio  [5.6]

Rispondi alle domande come nell'esempio.

Esempio: Dove hai conosciuto Maria? **L'ho conosciuta** in Italia.

1. Dove hai conosciuto Carlo? ....
2. Dove hai conosciuto Maria e Paola? ....
3. Dove hai conosciuto Carlo e David? ....
4. Dove hai conosciuto quel ragazzo? ....
5. Dove hai conosciuto quella ragazza? ....
6. Dove hai conosciuto Massimo e Kathy? ....

Esercizio 

Collega le frasi della colonna A con quelle della colonna B.

	A		B
1	☐ Questa è Maria.	a	Da sei mesi.
2	☐ Di dove sei?	b	Sì.
3	☐ Dove si trova?	c	Di Abingdon.
4	☐ Sei inglese?	d	Piacere!
5	☐ Conosci l'italiano?	e	Vicino a Oxford.
6	☐ Da quanto tempo lo studi?	f	Un po'.

Esercizio 

Trasforma come nell'esempio.

Esempio: (tu) Hai capito la lezione? (Lei) Ha capito la lezione?

	"tu"	"Lei"
1	Puoi ripetere, per favore?	....
2	Come stai?	....
3	Ti presento ...	....
4	Che cosa vuoi fare stasera?	....
5	Che cosa preferisci fare?	....
6	Vieni al cinema?	....
7	Scusa il ritardo, ma ...	....
8	Non dovevi disturbarti!	....
9	Mi fa piacere che tu sia riuscito a venire.	....
10	Sono sicuro che il film ti piacerà.	....

Esercizio 6

Scrivi una lettera per invitare un amico/un'amica alla tua festa di compleanno.

Esempio:

Salerno, 28 gennaio 1991

Caro Carlo,

... sei invitato alla mia festa di compleanno che ho organizzato nella casa in campagna, per il 3 febbraio, alle 20. Guarda che ti aspetto!
Verranno anche Kathy, David e altri due amici inglesi che non conosci. Sono sicura che ci divertiremo moltissimo.

Ciao, a presto.

Maria

Esercizio  [7.11]

Completa con il congiuntivo presente.

Esempio: Sono sicuro che Maria inviterà David. Spero che Maria ..... *inviti* ..... David.

1 Sono sicuro che arriverà in tempo.
Non credo che lui .... in tempo.

2 Sono convinto che Carlo riuscirà a passare l'esame.
Ho i miei dubbi che Carlo .... a passare l'esame.

3 Sono certo che Silvia è a casa.
Dubito che Silvia .... a casa.

4 Sono sicuro che ti divertirai.
Spero che ti ....

5 Sono convinto che Maria ti conosce.
Non sono sicuro che Maria ti ....

6 Sono certo che Paola non verrà alla festa.
Non credo che Paola .... alla festa.

7 Sono sicuro che David conosce l'italiano.
Dubito che David .... l'italiano.

8 Sono sicuro che loro andranno al cinema.
Non credo che loro .... al cinema.

9 Sono convinto che Kathy preferisce andare al cinema.
Non sono sicuro che Kathy .... andare al cinema.

10 Sono sicuro che Janie parla italiano.
Dubito che Janie .... italiano.

Esercizio 

Trova i contrari delle parole sottolineate.

	A		B
1	❒ f <u>Ama</u> la musica classica.	**a**	rifiutato Refuse
2	❒ e Ha molti <u>amici</u>.	**b**	chiuso Closed
3	❒ g È molto <u>simpatica</u>.	**c**	maleducato rude, illmannered
4	❒ a Ha <u>accettato</u> l'invito.	**d**	risposto Answer/Reply
5	❒ b Il cinema è <u>aperto</u>?	**e**	nemici Hostile, Enemies
6	❒ d Che cosa ha <u>domandato</u>?	**f**	odia Hatred
7	❒ c È molto <u>educato</u>.	**g**	antipatica Unpleasant

Esercizio  [13]

Compila la tabella con le seguenti espressioni.

1 Ci divertiremo senz'altro.
2 Dubito che sia già arrivato a casa.
3 Prego!
4 Mi dispiace!
5 Non credo che lui arrivi in tempo.
6 È stato un piacere!
7 Scusa!
8 Sono sicuro che il film ti piacerà.

rispondere ad un ringraziamento	....
scusarsi	....
esprimere dubbio o incertezza	....
esprimere certezza	....

Esercizio 

Gioco della "Catena di parole".

1 La classe si divide in coppie.
2 L'insegnante detta una parola.
3 Partendo dall'ultima sillaba di questa parola, ogni coppia aggiunge un'altra parola.
4 Vince la coppia che in cinque minuti riesce a scrivere la catena di parole più lunga.
(Le parole devono riferirsi solo ai seguenti argomenti: identificazione personale; famiglia; casa; cibi; bevande e rapporti con gli altri. Si può usare il vocabolario).

Esempio: nomesettimanasorella... (nome+mese+settimana+naso+sorella ...)

LEGGERE

Per David,

FAREMO UNA FESTA

per il compleanno di Carlo

il giorno 2 gennaio

alle ore 19.30 in via Marina, 8

Non mancare!!

Paola

I Migliori Auguri di Buon Compleanno

Grazie per il gentile invito che accetto volentieri.

David

Il *Circolo Velico*
Sarà onorato di averLa ospite della cena all'aperto
che si terrà presso il "Ristorante Giardino", via Aurelia, 3 - Cervo.

Giovedì, 15 aprile 1991, ore 20.30

Buon Natale e felice Anno Nuovo

I migliori Auguri
di Buona Pasqua

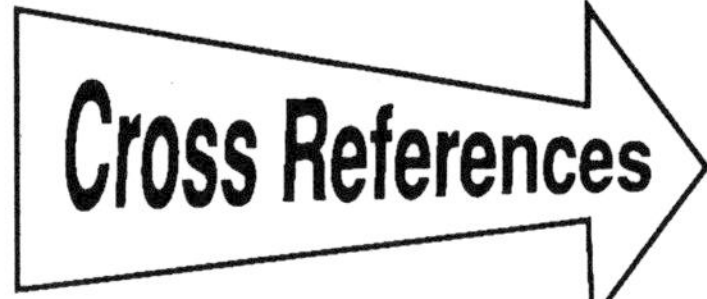

- **PRONTI...VIA! THE ITALIAN HANDBOOK**

Tabelle sostitutive:

• Rapporti con gli altri	p. 158
• Fare la conoscenza di qualcuno	p. 162
• Predisporre un incontro/un'attività	p. 165
Scusarsi	p. 167
Esprimere sorpresa, piacere rammarico, dubbio, certezza	p. 168

- **NEW STYLE ITALIAN GRAMMAR**
Strutture grammaticali

Congiuntivo presente [7.11]	Esercizio 7
Pronomi e passato prossimo [5.6]	Esercizio 3

Vocabolario - Rapporti con gli altri

Fare la conoscenza di qualcuno	p. 87
Predisporre un incontro/un'attività	p. 88
Attualità	p. 89
Partiti politici e sindacati	p. 89

Verbi

accettare, accompagnare, amare, andare, apprezzare, arrivare, ascoltare, aspettare, augurare, avere, ballare, capire, capirsi, conoscere, decidere, discutere, dimenticare, divertirsi, domandare, dovere, essere, fare, frequentare, giocare, incontrare, interessarsi di, invitare, occuparsi di, offrire, parlare, partecipare, pensare, piacere, preferire, presentare, promettere, proporre, ricambiare, rifiutare, ringraziare, sapere, scusarsi, suggerire, uscire, vedere, vedersi, venire, volere.

Fraseologia essenziale

A Come stai/sta?
B Bene, grazie. E tu/Lei?

A Hai/ha capito?
A Puoi/può ripetere?
A Come si dice ....?
A Che cosa vuol dire ...?
A Da quanto tempo studi/studia ...?
A Per quanto tempo hai/ha studiato ...?

A Ciao, mi chiamo ...
A Ti/Le presento ...
B Piacere!

A Che cosa vuoi fare stasera?
A Andiamo al cinema?
A A che ora ci vediamo?
A Scusa il ritardo, ma ...

ISTRUZIONE E CARRIERA

1

Janie Che scuola frequenti?
Carlo Frequento il liceo scientifico.
Janie Che anno?
Carlo Il secondo. E tu?
Janie Io frequento il primo anno di lingue all'università.

2

Janie Dove si trova la tua scuola?
Carlo In Piazza Roma, accanto alla chiesa.
Janie È grande?
Carlo Beh... abbastanza.
Janie Le classi sono numerose?
Carlo No, siamo in genere una ventina.
Janie È una buona scuola?
Carlo Sì, gli insegnanti sono molto bravi e ... ci sono anche una palestra, una piscina e un campo da tennis.

3

Janie A che ora iniziano le lezioni?
Carlo Alle otto.
Janie E a che ora finiscono?
Carlo Alle tredici.
Janie Quante ore di lezione avete?
Carlo Cinque ore.
Janie Quanto dura una lezione?
Carlo Cinquanta minuti.
Janie E l'intervallo?
Carlo Dieci minuti.

4

Janie A che ora pranzate?
Carlo All'una e dieci.
Janie Com'è la mensa della scuola?
Carlo Abbastanza buona.

5

Janie Sono molto severi i tuoi insegnanti?
Carlo No, non molto.
Janie Ti danno molti compiti a casa?
Carlo Sì, troppi.
Janie Vi danno punizioni?
Carlo Raramente... in genere quando chiacchieriamo troppo.
Janie Quali?
Carlo Dipende... di solito qualche esercizio in più.

6

Janie Qual è la tua materia preferita?
Carlo Non saprei... Mi piacciono l'italiano e la storia.
Janie E la matematica, ti piace?
Carlo No, non molto.

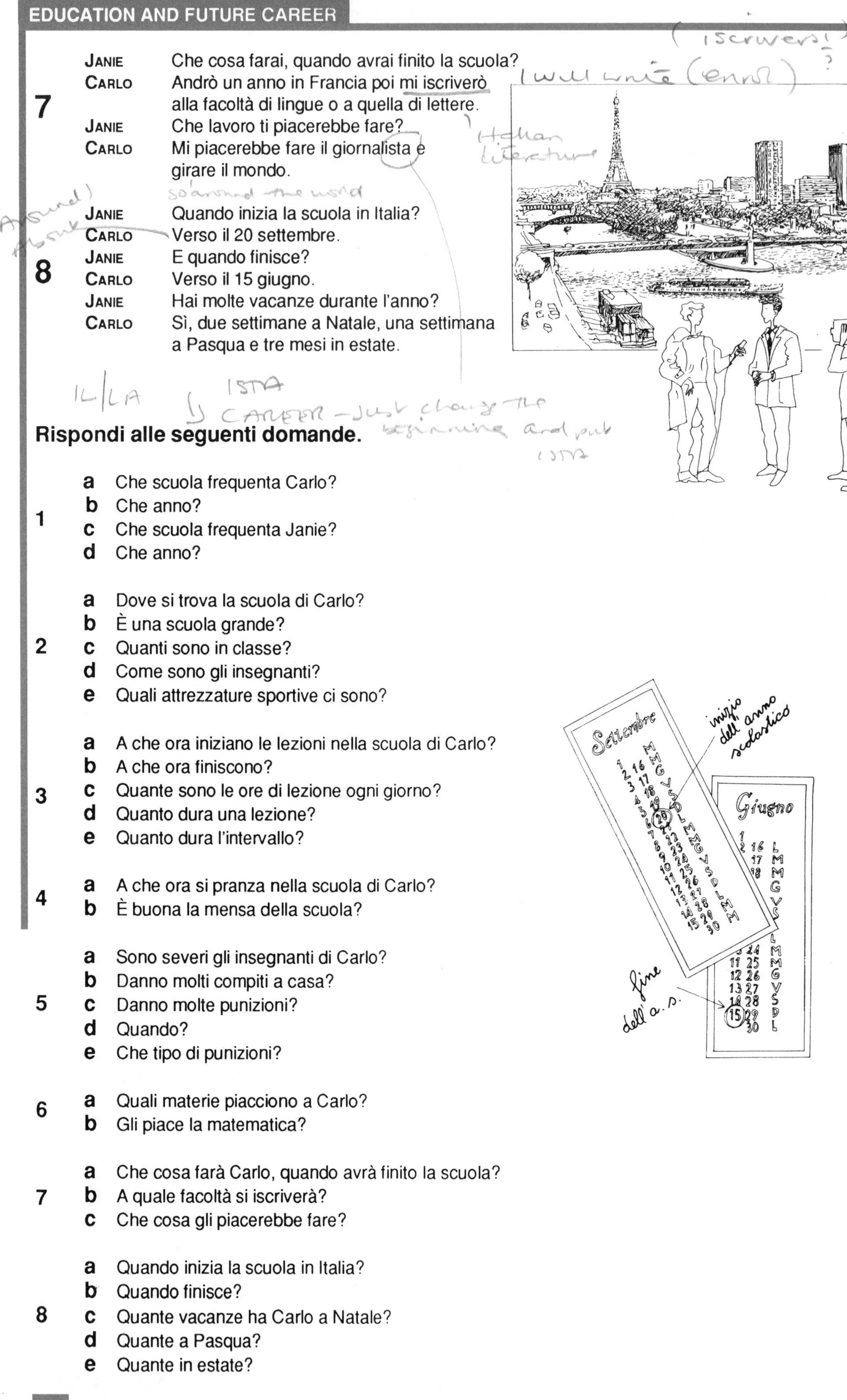

7

JANIE	Che cosa farai, quando avrai finito la scuola?
CARLO	Andrò un anno in Francia poi mi iscriverò alla facoltà di lingue o a quella di lettere.
JANIE	Che lavoro ti piacerebbe fare?
CARLO	Mi piacerebbe fare il giornalista e girare il mondo.

8

JANIE	Quando inizia la scuola in Italia?
CARLO	Verso il 20 settembre.
JANIE	E quando finisce?
CARLO	Verso il 15 giugno.
JANIE	Hai molte vacanze durante l'anno?
CARLO	Sì, due settimane a Natale, una settimana a Pasqua e tre mesi in estate.

Rispondi alle seguenti domande.

1
- **a** Che scuola frequenta Carlo?
- **b** Che anno?
- **c** Che scuola frequenta Janie?
- **d** Che anno?

2
- **a** Dove si trova la scuola di Carlo?
- **b** È una scuola grande?
- **c** Quanti sono in classe?
- **d** Come sono gli insegnanti?
- **e** Quali attrezzature sportive ci sono?

3
- **a** A che ora iniziano le lezioni nella scuola di Carlo?
- **b** A che ora finiscono?
- **c** Quante sono le ore di lezione ogni giorno?
- **d** Quanto dura una lezione?
- **e** Quanto dura l'intervallo?

4
- **a** A che ora si pranza nella scuola di Carlo?
- **b** È buona la mensa della scuola?

5
- **a** Sono severi gli insegnanti di Carlo?
- **b** Danno molti compiti a casa?
- **c** Danno molte punizioni?
- **d** Quando?
- **e** Che tipo di punizioni?

6
- **a** Quali materie piacciono a Carlo?
- **b** Gli piace la matematica?

7
- **a** Che cosa farà Carlo, quando avrà finito la scuola?
- **b** A quale facoltà si iscriverà?
- **c** Che cosa gli piacerebbe fare?

8
- **a** Quando inizia la scuola in Italia?
- **b** Quando finisce?
- **c** Quante vacanze ha Carlo a Natale?
- **d** Quante a Pasqua?
- **e** Quante in estate?

Esercizio 

Lo studente A fa le domande e lo studente B risponde.

STUDENTE A

Devi andare in una scuola in Italia per uno scambio. Telefona alla segreteria della scuola, chiedi informazioni sull'orario delle lezioni e completa la tabella.

Domande - tipo: A che ora iniziano le lezioni? Quanto dura l'intervallo? A che ora finiscono le lezioni? Che materia c'è il lunedì alla prima ora?...

ISTITUTO TECNICO "RUFFINI"
Orario provvisorio delle lezioni

ORA	Lunedì	Martedì	Mercoledì	Giovedì	Venerdì	Sabato
8.00 - ?	?	Fisica	Stenografia	Inglese	?	Scienze
9.00 - 10.00	?	Dattilografia	?	Matematica	Italiano	Inglese
10.00 - 10.50	?	Geografia	Matematica	?	Scienze	?
?	INTERVALLO					
11.05 - 12.00	?	Storia	Matematica	Italiano	?	Ed. Fisica
? - ?	?	Francese	Italiano	Italiano	Religione	Francese

STUDENTE B

Sei il segretario dell'Istituto Tecnico "Ruffini".
Leggi l'orario delle lezioni e rispondi alla telefonata dello studente A.

ISTITUTO TECNICO "RUFFINI"
Orario provvisorio delle lezioni

ORA	Lunedì	Martedì	Mercoledì	Giovedì	Venerdì	Sabato
8.00 - 9.00	Matematica	Fisica	Stenografia	Inglese	Storia	Scienze
9.00 - 10.00	Inglese	Dattilografia	Francese	Matematica	Italiano	Inglese
10.00 - 10.50	Scienze	Geografia	Matematica	Fisica	Scienze	Geografia
10.50 - 11.05	INTERVALLO					
11.05 - 12.00	Italiano	Storia	Matematica	Italiano	Dattilografia	Ed. Fisica
12.00 - 12.55	Ed. Fisica	Francese	Italiano	Italiano	Religione	Francese

Esercizio 2

Scrivi sul quaderno il tuo orario scolastico in italiano.

Esercizio 3 [7.4]

Volgi al passato prossimo

Esempio: Capisco quasi tutto. **Ho capito** quasi tutto.

1. Mio padre mi accompagna a scuola.
2. Mi annoio.
3. Ascolta la lezione con interesse.
4. La professoressa spiega i verbi.
5. La lezione comincia alle 8.00.
6. Conosco Carlo e Janie.
7. Continuano a leggere.
8. Il professore corregge i compiti.
9. Loro si divertono.
10. Ripassa la lezione di storia.

Esercizio 4 [7.4]

Esercizio come il precedente.

1. Melissa e Lisa frequentano il liceo classico.
2. La lezione dura un'ora.
3. Facciamo i compiti di matematica.
4. La lezione finisce alle 9.00.
5. Devo fare i compiti.
6. (Noi) impariamo a scrivere le lettere.
7. (Lui) insegna italiano.
8. (Noi) lavoriamo molto.
9. Leggo un libro di Sciascia.
10. Scrivo una lettera al mio professore.

Esercizio 5 [7.6]

Volgi al futuro le frasi dell'esercizio precedente.

Esempio: Melissa e Lisa **frequentano** il liceo classico.
Melissa e Lisa **frequenteranno** il liceo classico.

Esercizio  [7.2]

Completa il brano con l'imperfetto dei seguenti verbi: andare, svegliarsi, correre, essere, essere, essere, iniziare, finire, durare, avere, arrivare, telefonare, pretendere, interrogare, dare, fare.

Quando (io) ....*andavo*.................. al liceo, ...*mi svegliavo*.......... sempre prestissimo e .... a prendere il treno. La scuola .... in un'altra città. L'edificio .... nuovo e le aule .... molto grandi. Le lezioni .... alle otto e .... all'una.
Ogni lezione .... un'ora. (Noi) .... un preside molto severo e se .... in ritardo, ... ai nostri genitori e .... una giustificazione scritta. I professori ci .... tutti i giorni e .... molti compiti a casa. Una volta alla settimana .... un compito in classe ...
Nel 1989 mi sono diplomato e mi sono iscritto all'università ...

Esercizio 

Scrivi le seguenti frasi con il contrario delle parole sottolineate.

1 Mi sono annoiato. ....
2 Siamo entrati alle otto. ....
3 La lezione comincia alle 8.30. ....
4 La risposta è corretta. ....
5 Il compito è molto facile. ....
6 Che cosa ha imparato? ....
7 Oggi sono quasi tutti presenti. ....

LEGGERE

A Milano un informalavoro

Stai cercando un lavoro a Milano? Se vuoi saperne di più sulle professioni che vanno per la maggiore, su come funziona il mercato, sugli indirizzi utili a cui rivolgerti, sulle indicazioni necessarie per destreggiarsi tra uffici e legislazione, su come muovere i primi passi, puoi consultare un vademecum utilissimo. Si chiama "Occhi nuovi nella metropoli", ed è a cura dell'Ufficio problemi dei giovani del Comune di Milano.
• *Per ricevere la guida, basta telefonare allo* 02/866374.

A.A.A. Cercasi ....

L'Istituto per la formazione lavoratori (Isfoil) come ogni anno ha tirato le somme sul mercato del lavoro che si svolge tramite i quotidiani nazionali, attraverso gli annunci economici. I risultati da tenere d'occhio, in sintesi, sono questi:
1) Il 25% delle inserzioni richiede la conoscenza delle lingue estere: e di queste, l'80% riguardano la lingua inglese.
2) Aumenta la richiesta di lavoro sempre più qualificato: cresce al ritmo del 20% annuo.
3) Si cercano soprattutto persone nei seguenti settori: innovazioni tecniche produttive (analisti e programmatori, disegnatori tecnici), gestione e controllo (impiegati di concetto, direttori e manager), commercializzazione e promozione del bene finale (operatori commerciali, agenti, capi area).

Esercizio 

GIOCO della "Colonna di parole".

Durata: 20 minuti

1. La classe si divide in coppie.
2. L'insegnante scrive una lettera dell'alfabeto alla lavagna.
3. Le coppie devono completare la tabella, scrivendo in ogni colonna una parola che inizi con la lettera data.
4. Dopo due minuti l'insegnante scrive un'altra lettera e così via.
   (Vince la coppia che riesce a scrivere il maggior numero di parole.)

Esempi:

	CASA	TRASPORTI	CIBI/BEVANDE	SCUOLA	TEMPO LIBERO
T	tavolo	treno	tagliatelle	tedesco	tennis
C	cucina	corriera	cappuccino	compito	calcio

Esercizio 

Rispondi alle seguenti domande.

1 Che scuola frequenti? ....
2 Che anno frequenti? ....
3 Dove si trova la tua scuola? ....
4 È una scuola grande? ....
5 Quanti siete in classe? ....
6 Quali attrezzature sportive ci sono? ....
7 A che ora iniziano le lezioni? ....
8 A che ora finiscono le lezioni? ....
9 Quante ore di lezione avete? ....
10 Quanto dura una lezione? ....
11 Quanto dura l'intervallo? ....
12 A che ora pranzate? ....
13 Ti danno molti compiti a casa? ....
14 Sono severi i tuoi insegnanti? ....
15 Vi danno punizioni? (Se sì, quali?) ....
16 Quando inizia la scuola nel tuo paese? ....
17 Quando finisce? ....
18 Hai molte vacanze durante l'anno? ....
19 Qual è la tua materia preferita? ....
20 Quale materia non ti piace per niente? ....
21 Fate delle gite durante l'anno? ....
22 Quali sono i tuoi progetti per il futuro? ....
23 Che lavoro ti piacerebbe fare? ....
24 Dove ti piacerebbe lavorare? ....

Esercizio 

Scrivi una lettera ad un'amica/un amico per riferirle/riferirgli sulla tua scuola e sulle tue esperienze scolastiche.

Esercizio 

Scrivi una lettera ad un'amica/un amico per illustrarle/illustrargli i tuoi progetti per il futuro.

SE CERCATE LAVORO O VOLETE CAMBIARLO RIEMPITE LA SCHEDA

COGNOME ....

NOME ....

INDIRIZZO .... *CAP.* .... *PROV.* ....

TELEFONO .... *ANNO DI NASCITA* .... *SESSO* ☐ *M* ☐ *F*

TITOLO DI STUDIO ☐ *Licenza Media* ☐ *Diploma* ☐ *Qualifica Professionale* ☐ *Laurea*

ATTUALMENTE ☐ *Occupato* ☐ *Disoccupato*

QUALE LAVORO VOLETE FARE?

SE POSSIBILE IDENTIFICATE L'AREA PROFESSIONALE CORRISPONDENTE BARRANDO UNA DELLE SEGUENTI CASELLE:

- ☐ Banche, Servizi Finanziari e Assicurazioni
- ☐ Trasporti
- ☐ Telecomunicazioni
- ☐ Editoria, Pubblicità e Grafica
- ☐ Audiovisivi, Spettacolo e Musica
- ☐ Istruzione e Cultura
- ☐ Sanità e Assistenza
- ☐ Commercio e Distribuzione
- ☐ Turismo, Ristorazione, Albergazione
- ☐ Sport e Tempo Libero
- ☐ Altri Mestieri
- ☐ Metallurgia e Fonderia
- ☐ Lavorazioni Meccaniche
- ☐ Elettronica e Elettrotecnica
- ☐ Chimica e Farmaceutica
- ☐ Ceramica, Vetro e Materiali da Costruzione
- ☐ Edilizia e Lavori Pubblici
- ☐ Tessile, Abbigliamento e Cuoio
- ☐ Legno e Mobili
- ☐ Carta e Cartotecnica
- ☐ Agricoltura
- ☐ Industria Alimentare
- ☐ Energia
- ☐ Amministrazione e Finanza delle Imprese
- ☐ Segreteria e Impieghi di Ufficio
- ☐ Commerciale e Marketing
- ☐ Progettazione e Ricerca
- ☐ Informatica
- ☐ Gestione delle Risorse Umane
- ☐ Manutenzione
- ☐ Gestione della Produzione e Controllo

INDICATE LA PROVINCIA CHE VI INTERESSA COME SEDE DI LAVORO (sigla) ....

DISPONIBILITÀ A TRASFERIRSI: ☐ *Sì* ☐ *No*

DATA .... *FIRMA* ....

SPEDITE A: UN TERNO AL LOTTO
RAI TRE - VIA MUGGIA, 21 - 00195 ROMA

Scheda di partecipazione a UN TERNO AL LOTTO

Un programma TV condotto da Oliviero Beha in onda su Raitre ogni martedì alle 20.30 dal 7 maggio.

Potrete essere chiamati nel corso della trasmissione e ricevere offerte di lavoro.

MassimoKünstlerStudio

- **PRONTI...VIA! THE ITALIAN HANDBOOK**

Tabelle sostitutive

Istruzione e carriera	p. 172
Informazioni: L'istruzione in Italia	p. 180

- **A NEW STYLE ITALIAN GRAMMAR**
  Strutture grammaticali

Futuro [7.6]	Esercizio 5
Imperfetto [7.2]	Esercizio 6
Passato prossimo [7.4]	Esercizi 3, 4

Vocabolario - Istruzione e carriera	p. 90
Materie scolastiche	p. 91

Verbi

abituarsi a, accompagnare, annoiarsi, apprendere, arrivare, ascoltare, bocciare, capire, chiedere, cominciare, conoscere, continuare, consigliare, correggere, credere, detestare, diventare, divertirsi, dovere, durare, fare, finire, frequentare, giocare, guardare, imparare, indicare, insegnare, interessarsi di, lasciare, laurearsi, lavorare, leggere, nuotare, permettere, piacere, preferire, promuovere, provare, punire, raccontare, restare, recitare, sapere, scegliere, scoprire, scrivere, sforzarsi di, sperare, spiegare, stare, studiare, suonare, tradurre, trovare, ubbidire, vincere, volere.

APPENDICE
&
INDICI ANALITICI

◆ APPENDICE ◆ Fraseologia essenziale

Identificazione personale

A Come ti chiami?
B Mi chiamo ...

A Di dove sei?
B Sono ...

A Quanti anni hai?
B Ho ... anni.

A Dove abiti?
B Abito in ...

A Qual è il tuo numero di telefono?
B Il mio numero di telefono è ...

Casa

A Dove abiti?
B Abito in ...

A Sei in affitto?
B Sì/No.

A Quanto paghi d'affitto?
B Pago ...

A Dov'è .../ dove sono ...?
B È .../ Sono ...

A Grazie per l'ospitalità!
B È stato un piacere.

A Permesso?
B Avanti!

A A che ora ti alzi?
B Mi alzo alle ...

A A che ora fai colazione?
B Faccio colazione alle ...

A A che ora vai a dormire?
B Vado a dormire alle ...

A Posso darti una mano?
B Sì/No, grazie!

Cibi e bevande

A Vorrei (prenotare) un tavolo per due persone.
A Come antipasto vorrei ...
A Come primo piatto vorrei ...
A Di secondo vorrei ...
A Con contorno di ...
A Da bere vorrei ...
A Il conto, per favore.

Famiglia

A Quanti siete in famiglia?
B Siamo in ...

B I miei genitori (mio padre e mia madre), mio fratello, mia sorella, ...

A Come si chiama tuo/tua ...?
B Si chiama ...

A Che lavoro fa tuo/tua ...?
B Lavora in ... (È ...)

Ambiente geografico

A Dove vivi?
B Vivo in/a ...

A Di dove sei?
B Sono di ...

A Dove si trova?
B Si trova ...

A C'è ...?
B Sì, c'è./ No, non c'è.

A Ci sono?
B No, non ci sono.

A Ti piacerebbe vivere in/a ...?
B Sì/No.

A Che tempo fa?
B Fa bel/brutto tempo.

A C'è il sole?
B No, piove/nevica.

A Fa caldo?
B No, fa freddo.

Vacanze

A Dove vai di solito in vacanza?
B Di solito vado in Italia/a Roma.

A Dove andrai in vacanza?
B Andrò in/a ...

A Per quanto tempo resterai in vacanza?
B Per ...

A Dove ti piacerebbe andare in vacanza?
B Mi piacerebbe andare in/a ...

A Dove sei andato/andata in vacanza?
B Sono andato/andata in/a ...

A Con chi sei andato/andata ?
B Sono andato/andata con ...

A Che cosa hai fatto?

A Ti sei divertito/divertita?

Alberghi e campeggi

A Ho prenotato una camera ...
A Avete una camera singola/doppia?
A Qual è il prezzo?
A Dal ... al ...
A Con/senza servizi.
A Questa camera è troppo piccola/rumorosa ...
A Mi dia la chiave della camera numero ..., per favore.
A A che ora servite la prima colazione?
A Potrebbe prepararmi il conto, per favore?

Trasporti

Comprendere e dare istruzioni stradali

A Scusi!
B Sì, dica!

A Dov'è ...?
B Prenda la prima a destra/sinistra.
B Continui dritto fino al ...
B Attraversi la strada.
B È lì, sulla destra/sinistra.
B È a 100 metri, sulla destra/sinistra.

A C'è ... qui vicino?
B Sì/no.

Trasporto pubblico

A C'è un treno per ...?
A Quanto costa un biglietto per ...?
A Vorrei un biglietto di andata/andata e ritorno per ...
A A che ora parte ...?
A A che ora arriva a ...?
A Da che binario parte ...?

A Scusi, è libero questo posto?
B Sì, è libero./No, è occupato.

Trasporto privato

A (Vorrei) ... lire di benzina.
A Il pieno, per favore.
A Mi controlli ..., per favore.
A Scusi! Qual è la strada per ...?

Che ora è?

A Che ora è?
B È l'una/mezzogiorno/mezzanotte.

A Che ore sono?
B Sono le ...
B Sono le due e cinque (2.05).

Comperare

A A che ora aprono/chiudono i negozi di ...?
A Dov'è un negozio di ...?
A Dov'è il reparto ...?
A Avete ...?
A Vorrei ...
A Quanto costa?
A Posso pagare con un assegno/con la carta di credito?
A Questo ... non funziona/è rotto.
A Potrebbe cambiarmelo, per favore?
A Che taglia/misura ha?
A Che numero porta (di scarpe)?

Servizi

Alla posta

A Quanto costa spedire una lettera in ...?
A Mi dia un francobollo per ...
A Vorrei un francobollo da ... lire.
A Dov'è lo sportello del ...?

Ai telefoni

A Mi dia l'elenco telefonico di ..., per favore.
A Vorrei telefonare in ...
A Qual è il prefisso di ...?
A Vorrei un gettone/una carta telefonica.
A Pronto!

A Potrei parlare con ...?
B Ha sbagliato numero.
B Mi dispiace, ma è appena uscito.

A Il mio numero è ...

In banca

A Vorrei cambiare ...
A Quant'è il cambio del ...
A Potrebbe darmi dei biglietti da ...?

Salute

A Come stai?
B (Sto) bene/male.

A Che cos'hai?
B Ho mal di denti/gola.

A Aiuto!
A Al fuoco!
A Non toccare!
A Ho bisogno di un dottore/dentista.
A Bisogna chiamare il 113/la polizia ...
A C'è stato un incidente.
A È colpa sua!
A Non è colpa mia!
A Mi dispiace, non l'ho visto!
A Non è vero!
A Vuole fare da testimone?

Tempo libero

A Qual è il tuo passatempo preferito?
A Che cosa fai nel tempo libero?
A Che cosa fai di solito ...?
A Che cosa ti piace leggere?
A Che tipo di musica preferisci?
A Pratichi qualche sport?
A Ti piace ...?
A Ti piacciono ...?

Rapporti con gli altri

A Hai capito?
A Puoi ripetere?
A Puoi ripetere più lentamente?
A Come si dice ...?
A Che cosa vuol dire ...?
A Che cos'è?
A Da quanto tempo studi ...?
A Per quanto tempo hai studiato ...?

A Ciao, mi chiamo ...
A Ti presento ...
A Le presento ...
B Piacere!

A Che cosa vuoi fare stasera?
A Andiamo al cinema?
A A che ora ci vediamo?
A Scusa il ritardo, ma ..

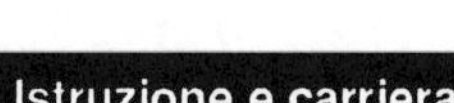

Istruzione e carriera

A Che scuola frequenti?
A Che anno frequenti?
A Quanti siete in classe?
A A che ora iniziano le lezioni?
A A che ora finiscono le lezioni?
A Quante ore di lezione avete?
A Quanto dura una lezione?
A Quanto dura l'intervallo?
A Ti danno molti compiti a casa?
A Quando inizia la scuola nel tuo paese?
A Quando finisce?
A Hai molte vacanze durante l'anno?
A Qual è la tua materia preferita?
A Quale materia non ti piace per niente?
A Quali sono i tuoi progetti per il futuro?
A Che lavoro ti piacerebbe fare?
A Dove ti piacerebbe lavorare?

◆INDICE ANALITICO◆

Pronti ... Via! Corso intensivo di italiano
Pronti ... Via! The Italian Handbook

UNITÀ

FUNZIONI	1	2	3	4	5	6	7	8	9	10	11	12	13	14
accettare/rifiutare								✔					✔	
attirare l'attenzione					✔			✔						
augurare								✔					✔	✔
chiedere e dare informazioni	✔	✔	✔	✔		✔	✔				✔	✔		✔
congratularsi														✔
interpellare per lettera		✔					✔						✔	
interpellare per telefono								✔		✔	✔			
invitare													✔	
presentarsi	✔						✔			✔			✔	
ringraziare			✔		✔		✔		✔	✔				
salutare					✔		✔	✔		✔	✔		✔	
scusarsi													✔	✔

	1	2	3	4	5	6	7	8	9	10	11	12	13	14
dubbio											✔		✔	
gradimento	✔	✔		✔				✔				✔		✔
identificare	✔	✔					✔		✔					
interesse												✔		
irritazione, rabbia										✔				
lamentarsi						✔		✔		✔				
preferire	✔					✔	✔	✔				✔		
raccontare						✔						✔		
simpatia													✔	
sorpresa										✔			✔	
speranza											✔			
timore, paura											✔			

	1	2	3	4	5	6	7	8	9	10	11	12	13	14
avvertire											✔			
descrivere	✔	✔	✔	✔		✔	✔	✔		✔	✔			
chiedere e dare indicazioni			✔		✔			✔		✔			✔	
chiedere aiuto					✔									
chiedere consiglio						✔		✔						
domandare e dare il permesso di fare			✔							✔	✔		✔	
offrire di fare qualcosa			✔											
ordinare											✔			
paragonare		✔					✔	✔	✔	✔				✔
porre un fatto come facile/difficile			✔											
proporre di fare qualcosa insieme						✔					✔		✔	

NOTA Vedi anche *A New Style Italian Grammar*, pp. 43-46

◆INDICE ANALITICO◆

Pronti ... Via! Corso intensivo di italiano
Pronti ... Via! The Italian Handbook

	UNITÀ													
STRUTTURE	1	2	3	4	5	6	7	8	9	10	11	12	13	14
aggettivi	✔				✔									
aggettivi dimostrativi		✔							✔					
aggettivi indefiniti					✔									
aggettivi possessivi		✔				✔								
articoli determinativi	✔	✔	✔		✔		✔	✔						
articoli indeterminativi			✔		✔									
avere (presente indicativo)		✔												
avverbi					✔									
concordanza (aggettivi)	✔													
condizionale presente				✔		✔				✔				
congiuntivo presente											✔		✔	
eccolo, eccola, ...			✔											
essere (presente indicativo)	✔													
futuro					✔	✔						✔		✔
gerundio				✔										
gradi di comparazione		✔					✔	✔	✔	✔				✔
imperativo					✔						✔			
imperfetto indicativo						✔								✔
interrogativi		✔		✔					✔					
nomi	✔	✔		✔		✔								
numeri	✔		✔						✔					
partitivi								✔	✔					
passato prossimo						✔	✔				✔			✔
preposizioni articolate					✔		✔	✔	✔	✔				
preposizioni semplici			✔	✔	✔	✔	✔	✔	✔	✔				
presente indicativo		✔	✔	✔	✔									
pronomi									✔	✔		✔		
pronomi combinati								✔	✔	✔				
pronomi e infinito										✔				
pronomi e passato prossimo												✔	✔	
verbi riflessivi			✔								✔			

◆INDICE ANALITICO◆

Pronti ... Via! Corso intensivo di italiano
Pronti ... Via! The Italian Handbook

	UNITÀ													
GIOCHI DIDATTICI	1	2	3	4	5	6	7	8	9	10	11	12	13	14
catena di parole													✔	
colonna di parole														✔
cruciverba		✔	✔	✔	✔				✔	✔				
descrizione	✔									✔				
ricerca di parole:														
• abbigliamento									✔					
• bevande								✔						
• casa			✔											
• continenti e nazioni				✔										
• corpo umano											✔			
• dolciumi								✔						
• materie e colori									✔					
• utensili										✔				
• albergo							✔							
• cucina			✔											
• famiglia		✔												
• frutta e verdura								✔						
• scuola														✔
• shopping									✔					
• tempo libero												✔		
• trasporti					✔									
• vacanze						✔								